Cymraeg i'r Teulu

CBAC
WJEC

Blwyddyn 1
Unedau 1 - 30

Fersiwn y Gogledd
North Wales Version

Cwrs Cymraeg safon dechreuwyr i rieni
sydd am ddefnyddio'r Gymraeg â'u plant.
A beginners' level Welsh course for parents
who want to use Welsh with their children.

Owen Saer
Pam Evans-Hughes

Rhagair

Foreword

Cymraeg i'r Teulu is a coursebook for parents who want to learn to speak Welsh with children of Foundation Phase age (up to 7 years old). It is suitable for total beginners, or for those who have some previous knowledge of Welsh. There are north Wales and south Wales versions of the course, and the following items will be available:
- Coursebook Entry (parts 1 and 2)
- Homework/Activity book (parts 1 and 2)
- Board games pack
- CD
- Small picture cards
- A4 Flashcards for tutors

The course is made up of 60 units, each designed to last two hours (Entry Part 1: units 1-30; Entry Part 2: units 31-60). Every unit contains new language patterns (highlighted in yellow boxes); structure notes; activities for students to use in class and at home with children; a song and a dialogue. At the end of each unit, there is a vocabulary list to learn before the next lesson. Much of this material is contained on the course CD.

Every seventh unit is a **revision unit**, providing further practice activities for work covered in the previous six units. In some units, you will also find:
- tables summing up language structures that have been covered
- thematic vocabulary banks for you to dip into as and when needed
- reading passages to help bridge the gap between the language learnt in class and the story books you will want to read with your children

- information sections showing how to put your Welsh language skills to use outside class.

The **homework/activity book** has two elements: 1) short, structured writing tasks to help consolidate the vocabulary and patterns learnt in class, which will also help you to assess your progress; 2) enjoyable games to play with your children, again using the language covered in class, but the emphasis here is on fun and communication, not on grammar and accuracy.

The **themes** in *Cymraeg i'r Teulu* are interlinked with those of the Foundation Phase taught at school, making it possible for parents to interact with children on topics they are already familiar with. There are six special units in the course dealing with events and celebrations, such as Christmas, St David's Day and the Urdd Eisteddfod.

The language patterns in *Cymraeg i'r Teulu* are presented in a different order from other Welsh for Adults courses. In common with other courses, simpler, more basic patterns are presented first; however, some patterns usually presented at a later stage have been brought forward due to their usefulness in a child-raising context, such as *Ga' i ...? (May I have ...?), Wyt ti wedi gwneud ...? (Have you done ...?)* and commands. By the end of the course, the main structures in the WJEC Mynediad course will have been covered in this course, so that students can move seamlessly on to the WJEC Sylfaen (Foundation) course.

After completing the course, you will be ready to sit the WJEC *Defnyddio'r Gymraeg: Mynediad*

examination (Using Welsh, Entry Level), if you so wish. While this is not compulsory, many learners find it a useful goal to work towards. The examination is held in a number of venues throughout Wales each autumn and winter. The units towards the end of the coursebook introduce each part of the examination, and practice activities are included. Contact your local Welsh for Adults centre for details.

Certain practice activities in the units are labelled **A**. This means that you will get **credits** for completing those tasks, which count as evidence that you are able to use the patterns and vocabulary you have learnt. The credit system allows your course provider to monitor progress, and also acts as a checklist of what you have achieved and what you need to revise.

Welsh for the Family courses differ from other language courses in one crucial way. Although it is a good idea for any language learner to start using the language outside class straight away, there is absolutely no avoiding it on a Welsh for the Family course. Having the Welsh language around you, spoken by other family members, on television, in children's books and so forth means that you will be exposed to a lot more vocabulary and patterns at an early stage, which can leave you feeling overwhelmed and confused. You will need to adopt a fairly laid back, go with the flow attitude, and ignore all the language that you don't understand yet. Instead, concentrate on learning the core vocabulary and the patterns in the yellow boxes thoroughly. This will make sure you make steady progress, learning the language in a logical order.

Some practical tips

■ Decide each day what you will say in Welsh to your children. Try to use something new every day
■ Stick pieces of paper with vocabulary and phrases on them around your house in places where you will need to say them, e.g. *Wyt ti wedi golchi dy ddwylo? (Have you washed your hands?)* near where you eat meals
■ Carry a little vocab book and/or a CD/mp3 player with you to use when waiting for your children, travelling on the bus etc
■ Don't try to learn too much at once
■ Little and often is the most effective way to learn

Don't worry if...
■ you forget things
■ you make mistakes
■ your children laugh, correct you or answer back in English
■ sometimes you feel progress is slow

Do...
■ attend class as regularly as possible
■ practise with a friend whenever you can
■ listen to the CD often, and do your homework
■ make a point of having fun with your children, in Welsh!

Using the language as much as possible outside class will speed up your progress, and will make using the language with your children all the more enjoyable.

We hope you will enjoy this course, and speak plenty of Welsh!

Pob hwyl – All the best

Cwrs Cymraeg i'r Teulu

Cyhoeddwyd gan CBAC
Noddwyd gan Lywodraeth Cymru

Cymraeg i Oedolion, CBAC
245 Rhodfa'r Gorllewin, Caerdydd CF5 2YX

Argraffwyd gan Wasg Gomer

Argraffiad cyntaf 2011
Ail argraffiad 2013
ISBN 1-86085-667-9
© Hawlfraint: CBAC 2011

I gael rhagor o wybodaeth am adnoddau eraill ar gyfer Cymraeg i'r Teulu, cysylltwch â:
Cymraeg i Oedolion,
CBAC, 245 Rhodfa'r Gorllewin, Caerdydd CF5 2YX
cymraegioedolion@cbac.co.uk

Welsh for the Family course

Published by WJEC
Sponsored by the Welsh Government

Welsh for Adults, WJEC
245 Western Avenue, Cardiff CF5 2YX

Printed by Gomer Press

First impression 2011
Second impression 2013
ISBN 1-86085-667-9
© Copyright: WJEC 2011

For more information about other Welsh for the Family resources, contact:
Welsh for Adults
WJEC, 245 Western Avenue, Cardiff CF5 2YX
welshforadults@wjec.co.uk

Cydnabyddiaeth
Acknowledgements

Awduron: *Authors:*	Owen Saer a Pam Evans-Hughes
Rheolwr y project: *Project Manager:*	Emyr Davies
Golygydd: *Editor:*	Mandi Morse
Dylunydd: *Designer:*	Olwen Fowler
Arlunydd: *Illustrator:*	Brett Breckon

Diolch i'r tiwtoriaid fu'n peilota'r cwrs a phanel monitro Cymraeg i'r Teulu.
The publishers wish to thank the tutors who piloted the course and the Welsh for the Family monitoring panel.

Diolch hefyd i:
Thanks also to:

Cymdeithas Alawon Gwerin Cymru, yr Urdd, Mudiad Ysgolion Meithrin, Mentrau Iaith Cymru, TWF.

Ffotograffau / *Photographs*:
Cyffredinol / *General*: iClipart, shutterstock
Llun rygbi, uned 10 / *rugby photograph, unit 10* - Chris Hellyar
Lluniau crefyddau, uned 11 / *religious photographs, unit 11* - Mikhail Levit, Tony Magdaraog, Gina Smith, Gmwnz.

Cynnwys
Contents

Bore da, Mrs Jones – sut dach chi?

Good morning, Mrs Jones - how are you?

Themâu: rhifo, yr ysgol
Themes: counting, school

Content:
- *basic greetings*
- *introductions*
- *counting*

1. Cyfarch
Greeting

Helo!	Hello!
S'mae!	Hi!
Bore da	Good morning
P'nawn da	Good afternoon
Noswaith dda	Good evening

2. Cyflwyno
Introductions

Miriam dw i	I'm Miriam
Mr Jones dw i	I'm Mr Jones
Chris	Chris
Pwy wyt ti?	Who are you?
Pwy dach chi?	

nodiadau
notes

■ *P'nawn da* is more often used than the full form, *prynhawn da*

■ Welsh has two ways of saying 'you'. *Ti* is used when speaking to one person you are on friendly and familiar terms with, or who is younger than yourself, e.g. a family member, classmate, child or pet. *Chi* is used when speaking to an adult stranger, to somebody considerably older than yourself, or to somebody of high status such as a headteacher. When speaking to more than one person (child or adult), always use *chi*.

3. Sut wyt ti?
How are you?

Sut wyt ti?	*How are you?*
Sut dach chi?	
Da iawn, diolch	*Fine, thank you*
Gweddol	*So-so*
Wedi blino	*Tired*
Ofnadwy!	*Terrible!*

4. Rhifo
Counting

0	dim		
1	un	6	chwech
2	dau	7	saith
3	tri	8	wyth
4	pedwar	9	naw
5	pump	10	deg

Sut wyt ti?

Da iawn, diolch!   gweddol!   Wedi blino!   Ofnadwy!

Ymarfer: symiau syml
Practice: simple sums

Be' ydy 4 a 2?
What's 4 and 2?

7

Na, dim 7
No, not 7.

6

Ia, da iawn ti!
Yes, well done!

Try a couple of sums like these with your partner.

Yr Wyddor Gymraeg
The Welsh Alphabet

a	b	c	ch	d
dd	e	f	ff	g
ng	h	i	j	l
ll	m	n	o	p
ph	r	rh	s	t
th	u	w	y	

- Many Welsh letters and sounds are similar to English ones. You will find Welsh spelling surprisingly regular once you have learnt a few simple rules.

- *k, q, v, x* and *z* are not in the Welsh alphabet. Other letters are used to spell these sounds.

- There are eight letters which are not in the English alphabet. These are shown in red.

Seiniau'r Gymraeg: llafariaid hir a byr
Welsh sounds: long and short vowels

- *Whereas English has five vowels, Welsh has seven:*
  a e i o u + w y

- *Long vowels sometimes have a ^ over them. This is called a circumflex, or a **to bach** (little roof).*

- *Listen to the words below a few times before repeating them. Don't worry about their meaning: just try to imitate the sounds closely.*

	hir *long*	**byr** *short*
a	mab, sâl, tad, Taf	pan, dal, cam, tap
e	te, hen, cês, grêt	pen, del, pert, er
i	ci, pib, pig, mil	bin, nid, ing, dim
o	do, jôc, bod, bodd	doc, dol, pont, os
u	tu, hud, pur, un	tun, thus, pump, punt
w	twf, cŵn, dŵr	fflwff, gwn, cwm
y	tŷ, hyd, cryf, bys	syn, byr, hyn, ffyn
y	y	yn, yr, ym, dy

Deialog
Dialogue

Athro/Athrawes:	**Bore da! Miss Williams** dw i. Pwy **wyt ti**?
Plentyn *(child)*:	**Bore da**, **Miss Williams. Gwynfor** dw i.
Athro/Athrawes:	Sut **wyt ti**, **Gwynfor**?
Plentyn:	**Da iawn**, diolch. A **chi**?
Athro/Athrawes:	**Dw i wedi blino**!

*Swap the words in **bold** for other names and expressions you have learnt.*

athrawes   plentyn

 ### Cân
Song

Tune: Frère Jacques

Bore da, **bore** da.
Sut **wyt ti**? Sut **wyt ti**?
Da iawn, diolch. Da iawn, diolch.
Sut **wyt ti**? Sut **wyt ti**?

Canwch hi sawl tro, gan amrywio'r cyfarchion a'r atebion.
Sing the song a few times, changing the greeting and the answer each time.

Revise the unit, learning the new words and phrases thoroughly before moving on.

Geirfa Uned 2
Vocabulary for Unit 2

Learn the vocabulary below for the next session. Red items are feminine, blue ones are masculine (this will be explained later).

Bwyd a diod	*Food and drink*
brechdan(au)	*sandwich(es)*
cacen siocled	*chocolate cake*
cawl	*soup (Welsh broth)*
caws	*cheese*
cig	*meat*
dŵr	*water*
ffrwyth(au)	*fruit*
hufen iâ	*ice cream*
iogwrt	*yoghurt*
llefrith	*milk*
llysiau	*vegetables*
sudd oren	*orange juice*
tatws	*potatoes*
tôst	*toast*
ŵy	*egg*

Be' wyt ti isio i frecwast?

What do you want for breakfast?

Themâu: bwyd a diod
Themes: food and drink

Content:

- *expressing what you want*
- *expressing what you don't want*

1.

Dw i isio iogwrt	*I want yoghurt*
Dw i isio sudd oren	*I want orange juice*
Dw i isio ŵy	*I want an egg*
Dw i isio tôst a jam	*I want toast and jam*

2.

Dw i ddim isio caws	*I don't want cheese*
Dw i ddim isio dŵr	*I don't want water*
Dw i ddim isio cawl	*I don't want soup*
Dw i ddim isio cyrri a reis	*I don't want curry and rice*

3.

Wyt ti isio tatws?	Oes, plîs!	*Do you want potatoes?*	*Yes, please!*
Wyt ti isio llysiau?	Nac oes. Dim diolch	*Do you want vegetables?*	*No, thanks*
Dach chi isio hufen iâ?	Nac oes. Dim diolch	*Do you want ice cream?*	*No, thanks*
Dach chi isio cacen siocled?	Oes, plîs!	*Do you want chocolate cake?*	*Yes, please!*

nodiadau
notes

■ *Isio* is normally written as *eisiau*.

■ There are many ways of saying *yes* and *no* in Welsh.

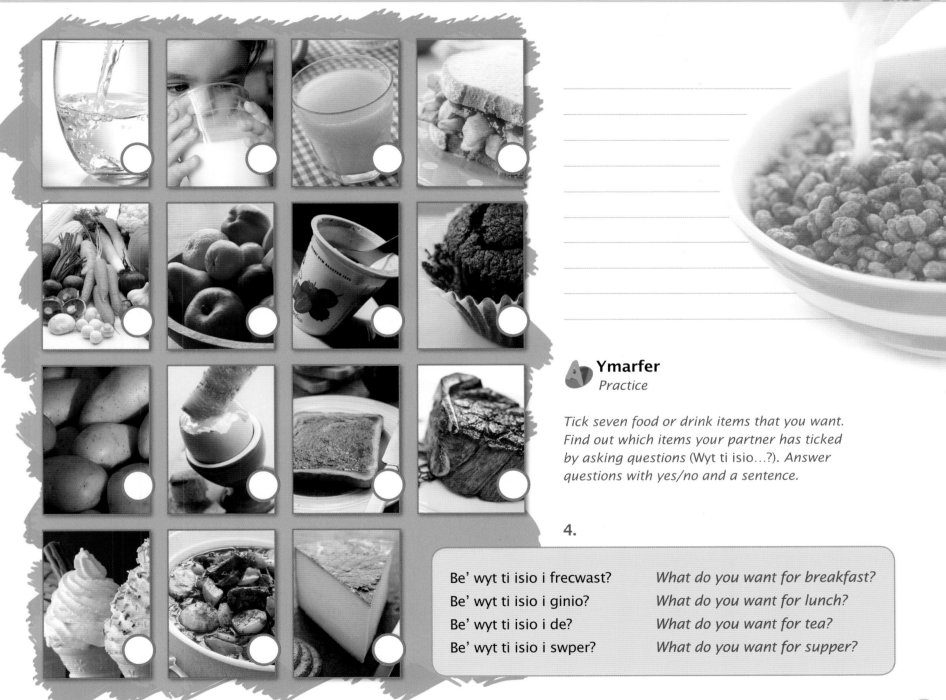

Ymarfer
Practice

Tick seven food or drink items that you want. Find out which items your partner has ticked by asking questions (Wyt ti isio…?). Answer questions with yes/no and a sentence.

4.

Be' wyt ti isio i frecwast?	*What do you want for breakfast?*
Be' wyt ti isio i ginio?	*What do you want for lunch?*
Be' wyt ti isio i de?	*What do you want for tea?*
Be' wyt ti isio i swper?	*What do you want for supper?*

Ymarfer
Practice

Ask some other students what they want for breakfast, lunch and supper tomorrow. Fill in the grid as you go, following the example.

enw	brecwast	cinio	swper
Linda	iogwrt	brechdan ham	pasta a hufen iâ

Remember to use this pattern at home with your children at mealtimes!

coffi

pizza

cawl tomato

Seiniau'r Gymraeg: cytseiniaid syml
Welsh sounds: simple consonants

Many letters are pronounced the same, or similarly, in Welsh and English. Practise saying the words below.

b	bant, bag, abad	**l**	lemwn, Alun, cul
c [1]	cant, acen, cic	**m**	maneg, emyn, cam
d	da, nid, adio	**n**	nos, tynnu, sôn
f [2]	cof, afal, fel	**p**	pin, epa, pwmp
g [3]	Gareth, bag, egin	**r** [4]	araf, côr, prif
h	hadyn, hyn, hebog	**s** [5]	seren, crys, isel
j	jeli, garej, Jac	**t**	tân, ato, twt

c [1]   *always hard, as in* **cat** *– never soft, as in* **ice**
f [2]   *always as in* **of**, *never as in* **off**
       It is always pronounced **v**
g [3]   *always hard, as in* **big** *– never soft, as in* **general**
r [4]   *always pronounced, even after a vowel*
s [5]   **s + i** *together become* **sh** *when followed by another vowel, as in* **Siân**, **Siôn**, **sied**, **siŵr**

Deialog
Dialogue

Rhiant: **Bore da**, cariad. Wyt ti isio **sudd oren i frecwast**?

Plentyn: Dim diolch. Dw i ddim isio **sudd oren**. Ych!

Rhiant: Na? Be' wyt ti isio, 'ta?

Plentyn: Dw i isio **banana**.

Rhiant: Iawn. Dyma ti, cariad.

Plentyn: Mmm. Blasus iawn!

Rhiant: O, **hogan dda**. Un arall?

Ych!	*Yuck!*
Dyma ti, cariad	*Here you are, love*
Blasus iawn!	*Very tasty!*
Hogan dda!	*Good girl!*
Hogyn da!	*Good boy!*
Un arall?	*One more?*

hufen iâ

🎵 Cân
Song

Be' wyt ti isio i frecwast?

Be' wyt ti isio i **frecwast**?
Be' wyt ti isio i **frecwast**?
Dw i isio **tôst a jam**.
Dw i ddim isio **iogwrt**.

Sing it again, substituting these words:

2. brecwast - Weetabix - llysiau
3. cinio - llefrith a ffrwyth - tatws
4. swper - tôst ac ŵy - brechdan

Geirfa Uned 3
Vocabulary for Unit 3

Learn the vocabulary below for the next session.

bwyta	*to eat*
chwarae (gêm, pêl-droed, pêl-fasged)	*to play (a game, football, basketball)*
coginio	*to cook*
cysgu	*to sleep*
dawnsio	*to dance*
edrych ar y teledu	*to watch television*
gweithio yn y tŷ	*to work at home*
mynd am dro	*to go for a walk*
rhedeg	*to run*
sgipio	*to skip*
siarad ar y ffôn	*to talk on the phone*
yfed	*to drink*
dim byd	*nothing*
heddiw	*today*
(y)fory	*tomorrow*

Pwy ydy o? Be' mae o'n wneud?

Who's he? What's he doing?

Thema: hamdden
Theme: leisure

Content:

- talking about what you and others are doing
- asking who people are
- days of the week

1.

Dw i'n yfed llefrith	*I'm drinking milk*
Dw i'n mynd am dro	*I'm going for a walk*
Dw i'n siarad ar y ffôn	*I'm talking on the phone*
Dw i'n chwarae pêl-droed	*I'm playing football*
Be' wyt ti'n wneud?	*What are you doing?*
Be' dach chi'n wneud?	

2.

Pwy ydy o?	Jac	*Who's he?*	*Jack*
Pwy ydy o?	Sam Tân	*Who's he?*	*Sam Tân*
Pwy ydy hi?	Lisa	*Who's she?*	*Lisa*
Pwy ydy hi?	Sali Mali	*Who's she?*	*Sali Mali*

3.

Mae o'n cysgu	*He's sleeping*
Mae o'n coginio	*He's cooking*
Mae hi'n dawnsio	*She's dancing*
Mae hi'n rhedeg	*She's running*
Be' mae o'n wneud?	*What is he doing?*
Be' mae hi'n wneud?	*What is she doing?*

nodiadau
notes

■ *Sali Mali* and *Sam Tân* are well-known characters appearing in Welsh language books and on S4/C.

■ Patterns 2 and 3 are useful when reading with children. Ask plenty of questions to involve them in the story. This will help develop their language skills.

■ Notice the *'n* after the person in patterns 1 and 3. There is no *'n* in sentences with *isio*.

■ You will see the full form *Beth mae o'n ei wneud?* in children's books. The *ei* in this pattern is usually omitted in spoken language.

Ymarfer
Practice

a. Look at the pictures. Use patterns 2 and 3 on the previous page to ask who's who, and what they are doing.

b. Cover the top half of the picture. Can you remember who is who? Use pattern 2.

c. Cover the bottom half of the picture. Can you remember what each child is doing? Use pattern 3.

d. Using the patterns in block 1, 'phone' your partner to ask what he / she is doing. Give as many different answers as you can.

Aled   Simone   Bethan   Jac   Huw   Ann   Megan   Rhys   Nia

Hei! Be' wyt ti'n wneud?

Try these activities at home with your child.

4. Dyddiau'r wythnos
Days of the week

Dydd Llun	*Monday*
Dydd Mawrth	*Tuesday*
Dydd Mercher	*Wednesday*
Dydd Iau	*Thursday*
Dydd Gwener	*Friday*
Dydd Sadwrn	*Saturday*
Dydd Sul	*Sunday*

Ymarfer
Practice

Ask some other students about their forthcoming plans.
Fill in the grid as you go.

Be' wyt ti'n wneud heddiw?   Dw i'n edrych ar y teledu
Be' dach chi'n wneud dydd Mawrth?   Dw i'n dysgu Cymraeg

enw *name*			
heddiw			
fory			
dydd			
dydd			
dydd			

Seiniau'r Gymraeg: cytseiniaid dwy lythyren
Welsh sounds: two-letter consonants

*Some of these are different to English sounds and spellings, so take your time to get used to them. Note that these count as a single letter, so the word **ffydd** has only three letters (ff-y-dd). This is important to remember when doing a crossword. Also, in a Welsh dictionary, **ch** comes after **c**, so **chwarae** will be after **cofio**.*

Letter	Examples	Closest English sound
ch	coch, chi, uchel	*Snoring!*
dd	Dafydd, Adda, naddo	*That, other, with*
ff	Ffion, Offa, cloff	*(Same as English ff)*
ng	cangen, Bangor, ing	*Singer, occasionally finger*
ll	llo, allan, coll	*Blow as you say l !*
ph	a pherson, na phen	*(Same as English ph)*
rh	Rhian, rhwd, rhad	*Blow as you say r !*
th	a thŷ, peth, cathod	*Thistle, never that*

Deialog
Dialogue

Rhiant:	Be' wyt ti'n wneud heddiw, **Rhodri**?
Plentyn:	Dw i'n **chwarae pêl-fasged**.
Rhiant:	Iawn, cariad. Wyt ti isio **brechdanau**?
Plentyn:	Dim diolch. Dw i'n mynd i *Burger King* efo Jac.
Rhiant:	Mm. Dyma ti, **banana**.
Plentyn:	Diolch, **Mam**.

 Cân Be' wyt ti'n wneud?
Song

1. Be' **wyt ti**'n wneud?
   Be' **wyt ti**'n wneud?
   Dw i'n **mynd am dro**.
   Dw i'n **mynd am dro**.
   Be' **wyt ti**'n wneud?
   Be' **wyt ti**'n wneud?
   Dw i'n **mynd am dro**.
   Dw i'n **mynd am dro**.

Sing it again, substituting these words:

2. siarad ar y ffôn
3. yfed llefrith
4. chwarae pêl-droed

TIP
If you have pictures of the items in the songs, point at them or hold them up as you say them. This helps the memory, as well as making it more fun.

Darllen efo'ch plentyn
Reading with your child

Try to get a copy of whatever book your child is currently reading at nursery or at school, and read it together. You may find it helpful to read through the book yourself beforehand. Use the phrases below, if they fit the story.

Wel, wel!	*Well, well!*
Dyna hyfryd!	*How lovely!*
Dyna ofnadwy!	*How terrible!*
Dyna hwyl!	*What fun!*

Geirfa Uned 4

actor / actores	*actor (male / female)*
ffermwr	*farmer*
mecanic	*mechanic*
nyrs/nyrs	*nurse*
plismon	*policeman*
plismones	*policewoman*
arlunydd	*artist*
athro / athrawes	*teacher (male / female)*
cogydd	*cook*
dawnsiwr	*dancer*
dynes ginio	*dinner lady*
meddyg / doctor	*doctor (medical)*
plant	*children*
garej	*garage*
siop	*shop*
stiwdio	*studio*
tŷ bwyta	*restaurant*
ysbyty	*hospital*
ysgol	*school*

Mae'r doctor yn gweithio yn yr ysbyty

The doctor works in the hospital

Thema: gwaith
Theme: work

Content:

- *occupations*
- *workplaces*
- *who's who*
- *where they work*

1.

Nyrs ydy o?	Ia. Nyrs ydy o	*Is he a nurse?*	*Yes. He's a nurse*
Ffermwr ydy o?	Naci. Dim ffermwr ydy o	*Is he a farmer?*	*No. He isn't a farmer*
Athrawes ydy hi?	Ia. Athrawes ydy hi	*Is she a teacher?*	*Yes. She's a teacher*
Mecanic ydy hi?	Naci. Dim mecanic ydy hi	*Is she a mechanic?*	*No. She isn't a mechanic*

2.

Mae o'n gweithio yn y theatr	*He works in the theatre*
Mae o'n gweithio yn yr ysbyty	*He works in the hospital*
Mae hi'n gweithio mewn garej	*She works in a garage*
Mae hi'n gweithio mewn siop	*She works in a shop*
Lle mae o'n gweithio?	*Where does he work?*
Lle mae hi'n gweithio?	*Where does she work?*

nodiadau
notes

■ Use *Ia* or *Naci* to answer any question that **doesn't** start with a **verb**.

■ *Mae o'n gweithio* can mean either *he works* or *he is working*.

Ymarfer

Practice

Match the people with their workplaces. Use patterns 1 and 2.

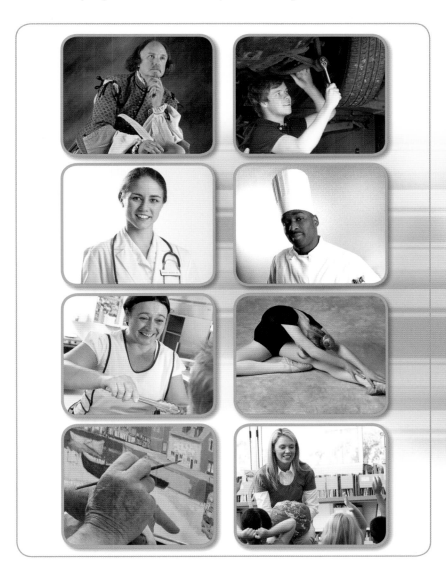

3.

Ydy o'n gweithio yn y tŷ bwyta?	*Does he work in the restaurant?*
Ydy hi'n gweithio mewn ysgol?	*Does she work in a school?*
Ydy o'n coginio?	*Does he cook?*
Ydy hi'n dawnsio?	*Does she dance?*
Ydy	*Yes, he / she does*
Nac ydy	*No, he / she doesn't*

Ymarfer

Your tutor will give you a picture. Ask some other students about the person, their workplace and their work. Make sure you vary your questions. Some useful words:

actio – *to act*   dysgu – *to teach*   peintio – *to paint*   ffermio – *to farm*

Seiniau'r Gymraeg: ymarfer pellach
Welsh sounds: further practice

a. **Word stress** *normally falls on the last-but-one syllable in Welsh. Notice how the accent shifts in these words.*

O o	o O o
meddyg	meddygfa
brechdan	brechdanau
tegan	teganau
eistedd	eisteddfod
tywyll	tywyllwch
angen	anghenion
chwarae	chwaraeon

b. *Try saying these* **word pairs** *which are identical apart from one sound.*

a	ar
o	o'r
gwyn	gwin
peth	pell
gardd	garth
cyll	cyff
parch	parth
llen	llên
rhwyd	llwyd
sychu	syllu
cyffwrdd	cyffordd

---

nodiadau
notes

■ *Yn y...* means 'in the...'. Welsh doesn't have a word for *a / an*. To say 'in a...', we use *mewn* e.g. *Yn y siop* = in the shop. *Mewn siop* = in a shop

■ *Nac ydy* is usually shortened to *nac'dy* in conversation.

Deialog

Mae'r athro'n dangos llun i'r plant.
The teacher shows the children a picture.

Athro:*	Dyma **Mr Evans**. Be' ydy **Mr Evans**?
Plentyn:	**Arlunydd**.
Athro:	Ia. Da iawn. Lle mae **o**?
Plentyn:	Mae **o** mewn **stiwdio**.
Athro:	Ydy. Mewn **stiwdio**. Be' mae **o**'n wneud?
Plentyn:	Mae **o**'n **peintio**.
Athro:	Ydy. Rŵan, 'ta! Dach chi isio **peintio**?

*neu Athrawes

 Cân Nyrs ydy John?

1. **Nyrs** ydy John? Ia, **nyrs** ydy **John**.
    Nyrs ydy John? Ia, **nyrs** ydy **John**.
    Lle mae **o**'n gweithio? Lle, lle, lle?
    Mae **o**'n gweithio **mewn ysbyty**.

2. Dawnsiwr - Mel - yn y theatr
3. Athro - Rhys - yn yr ysgol
4. Cogydd - Siân - mewn tŷ bwyta

Remember to change o / hi *as needed!*

Geirfa Uned 5

cadw'n heini	to keep fit	gwrando ar	to listen
cerdded	to walk	gerddoriaeth	to music
cyfarfod	to meet	lliwio	to colour in
ffrindiau	friends	mynd allan	to go out
darllen	to read	ar y beic*	on the bike
garddio	gardening	mynd i'r parc	to go to the park
golchi'r llestri	to wash	nofio	to swim
	the dishes	siopa	to shop
		smwddio	to iron
		efo	with

Dydy Nia ddim yn hoffi peintio!

Nia doesn't like painting!

Themâu: hamdden a'r cartref
Themes: leisure and home

Content:

- *likes*
- *dislikes*

1.

Dw i'n hoffi peintio	*I like painting*
Dw i'n hoffi darllen	*I like reading*
Dw i ddim yn hoffi golchi'r llestri	*I don't like washing the dishes*
Dw i ddim yn hoffi edrych ar y teledu	*I don't like watching television*

2.

Mae hi'n hoffi cadw'n heini	*She likes keeping fit*
Mae o'n hoffi siopa	*He likes shopping*
Dydy hi ddim yn hoffi garddio	*She doesn't like gardening*
Dydy o ddim yn hoffi smwddio	*He doesn't like ironing*

3.

Be' wyt ti'n hoffi?	*What do you like?*
Be' dach chi'n hoffi?	*What do you like?*
Be' mae o'n hoffi?	*What does he like?*
Be' mae hi'n hoffi?	*What does she like?*

nodiadau
notes

■ *Licio* is frequently used in place of *hoffi*, especially in informal speech.

■ Here is the third person negative for the first time (*Dydy o / hi ddim*). *Mae* is used in positive sentences, *Dydy* in negative sentences. *Ydy* is used to start a question (see *Uned 4*).

Ymarfer

a. Tell the class what activities you like, and what you dislike. Remember some of the things other class members like and dislike.

b. Use pattern 2 to talk about the following pictures with your partner.

cadw'n heini

chwarae efo tedi

darllen

edrych ar y teledu

smwddio

bwyta allan

c. Can you remember other class members' likes and dislikes?

> Be' mae Paul yn hoffi?

> Mae o'n hoffi garddio. Dydy o ddim yn hoffi smwddio.

■ Mae Lowri'**n**... Mae Paul **yn**...
Mae o / hi'**n**... Mae Mrs Jones **yn**...

Use '**n** after a vowel, **yn** after a consonant.

4.

Wyt ti'n hoffi chwarae efo doli?	Nac ydw, ddim o gwbl	*Do you like playing with dolly*	*No, not at all*
Dach chi'n hoffi cerdded?	Ydw, yn fawr	*Do you like walking?*	*Yes, very much*
Ydy o'n hoffi bwyta allan?	Ydy	*Does he like eating out?*	*Yes, he does*
Ydy hi'n hoffi cyfarfod ffrindiau?	Nac ydy	*Does she like meeting friends?*	*No, she doesn't*

Ymarfer

a. *Find a new partner. Ask them about their likes and dislikes, using pattern 4. Ask about their partner's / children's likes and dislikes too.*

b. **Efo plentyn**

A friend of your child has come to play. Find out his / her likes and dislikes, and fill in the grid below

	hoffi	ddim yn hoffi
i fwyta?		
i yfed?		
ar y teledu?		

	hoffi wneud	ddim yn hoffi wneud
yn yr ysgol?		
yn y parc?		
amser chwarae?		

Seiniau'r Gymraeg: deuseiniaid

Welsh sounds: diphthongs

Like English, Welsh has pure vowels (covered in Unit 1), and diphthongs. This simply means two vowel sounds together, the first 'gliding' into the second. Many of them are similar to English sounds.

The diphthongs below all finish in the sound i.

ai	All pronounced the same. Similar to English *eye*.	dai, llai, carai, sain,
ae		mae, cael, chwaer, haen
au		cau, parau, parhau, paun
ei	All pronounced the same. Simiar to English *ay* in *May*. Resist the temptation to pronounce them like *y* in *my*.	cei, Meirion, Teilo, gweithio
eu		neu, gwneud, lleuad, ceulo, teulu
ey		teyrnas
oi	All pronounced the same. Similar to English *oy* in *boy*.	cloi, cnoi, ffoi
oe		oer, oed, ddoe, croes
ou		clou, cyffrous
wy	This sound doesn't occur in English. (*Wy* also has other pronunciations. These will be covered later.)	trwy, dwy, bwyd, nwy

Deialog

Bore Sadwrn yn y parc

Taid*:	**Mari, wyt ti**'n hoffi **cerdded**?
Mari:	Ydw, ydw! Dw i'n hoffi **cerdded** yn fawr iawn.
Taid:	Wyt ti isio **mynd i'r parc** efo **Taid** heddiw?
Mari:	Oes, a **tedi**! Mae **tedi**'n hoffi **cerdded**, hefyd.
Taid:	O, ydy **tedi**'n **cerdded**? Dyna ffantastig.
Mari:	Ydy, wrth gwrs!

* neu Nain

 Cân Be' wyt ti'n hoffi?

Be' wyt ti'n hoffi? Be' wyt ti'n hoffi?
Dw i'n hoffi **peintio**.
Wyt ti'n hoffi **peintio**? Wyt ti'n hoffi **peintio**?
Ydw, ydw'n fawr iawn.

darllen, smwddio, siopa ...

Geirfa Uned 6

chwarae gemau bwrdd	*to play board games*
darllen stori	*to read a story*
rhedeg o gwmpas	*to run around*
sgïo	*to ski*
tacluso	*to tidy up*
ysgrifennu	*to write*
bowlio deg	*ten-pin bowling*
chwaraeon	*sports, games*
ffrâm ddringo	*climbing frame*
iard yr ysgol	*the school yard*
llithren	*slide*
siglen	*swing*
si-so	*see-saw*
pwdin	*pudding*
pysgodyn	*fish*
sglodion	*chips*
heno	*tonight*

Dan ni'n cael pwdin heno!

We're having pudding tonight!

Themâu: hamdden, bwyd a diod
Themes: leisure, food and drink

Content:

- *what we are doing*
- *what they are doing*

1. Mae'n hanner tymor! Be' dan ni'n wneud?
It's half term! What are we doing?

Dan ni'n rhedeg o gwmpas y parc	*We're running around the park*
Dan ni'n chwarae bowlio deg	*We're playing ten-pin bowling*
Dan ni ddim yn mynd i'r ysgol	*We're not going to school*
Dan ni ddim yn ysgrifennu	*We're not writing*

2.

Maen nhw'n chwarae ar y llithren	*They're playing on the slide*
Maen nhw'n darllen stori	*They're reading a story*
Dydyn nhw ddim yn sgïo	*They're not skiing*
Dydyn nhw ddim yn tacluso	*They're not tidying up*

3.

Ydan ni'n cael pysgodyn i frecwast?	Ydan	*Are we having fish for breakfast?*	*Yes, we are*
Ydan ni'n cael sglodion i ginio?	Nac ydan	*Are we having chips for lunch?*	*No, we're not*
Ydyn nhw'n cael cawl i swper?	Ydyn	*Are they having soup for supper?*	*Yes, they are*
Ydyn nhw'n cael pwdin heno?	Nac ydyn	*Are they having pudding tonight?*	*No, they're not*

nodiadau
notes

■ *Ydyn* = Yes, they do *or* Yes, they are
Nac ydyn = No, they don't *or* No, they aren't.

■ *Nac ydyn* is usually shortened to *nac'dyn* in conversation.

Ymarfer

a. Be' dach chi'n wneud efo'ch plentyn/plant dros hanner tymor ?
Be' dach chi ddim yn wneud? (Patrwm 1/*pattern 1*)

b. Put a ✔ *next to the activities you like, and a* ✘ *next to the ones you dislike. Compare with your partner, and see how many* Dan ni'n hoffi / Dan ni ddim yn hoffi *sentences you can say.*

tacluso chwarae gemau sgio darllen stori siopa

ysgrifennu smwddio cadw'n heini coginio chwarae bowlio deg

4.

Maen nhw'n hoffi chwarae rygbi	*They like playing rugby*
Maen nhw'n hoffi gwrando ar gerddoriaeth	*They like listening to music*
Dydyn nhw ddim yn hoffi cysgu	*They don't like sleeping*
Dydyn nhw ddim yn hoffi chwarae golff	*They don't like playing golf*
Be' maen nhw'n hoffi wneud?	*What do they like doing?*

Ymarfer

Try out pattern 4 with these pictures.

Seiniau'r Gymraeg: deuseiniaid
Welsh sounds: diphthongs

We continue the last unit's work on diphthongs. This time, we concentrate on diphthongs which finish in the sound w.

aw	Similar to English *ow* in *cow*.	daw, cawl, caws, llawen,
ew	This sound doesn't occur in English.	ewch, tew, Dewi, llew
ow	Similar to English *ow* in *slow*.	brown, down, clown, Owen
iw	All pronounced the same. This sound doesn't occur in English.	diwedd, lliw, piws, gwiw
uw		duw, uwch, buwch, Huw,
yw		byw, yw, llyw, clyw

You will come across exceptions to the pronunciation guidelines on this course. Not all Welsh speakers pronounce sounds the same way; there are variations due to dialect, formality and so forth. You will gradually tune in to these differences.

Deialog

Yn y tŷ

Plentyn: Mam, ydan ni'n cael **sglodion** i ginio heddiw?

Rhiant: Nac ydan.

Plentyn: Wel, ydan ni'n cael **sglodion** i de?

Rhiant: Nac ydan, cariad.

Plentyn: O Mam! Ydan ni'n cael **sglodion** i swper 'ta?

Rhiant: Nac ydan, cariad! Dan ni ddim yn cael **sglodion** o gwbl heddiw. Sori!

 ## Rap

Mae hi'n hoffi chwarae ar y si-so yn y parc

Mae hi'n hoffi chwarae ar y si-so yn y parc,
    ar y si-so yn y parc, ar y si-so yn y parc,
Mae hi'n hoffi chwarae ar y si-so yn y parc,
    chwarae ar y si-so yn y parc.

2. Mae o'n hoffi dringo ar y bariau yn y parc
3. Maen nhw'n hoffi chwarae ar y llithren yn y parc
4. Dydy hi ddim yn hoffi darllen comics yn y parc
5. Dydy o ddim yn hoffi bwyta jeli yn y parc
6. Dydyn nhw ddim yn hoffi mynd am dro yn y parc

Geirfa Uned 7

canu	to sing	
glanhau'r tŷ	to clean the house	
gyrru	to drive	
(y)molchi	to wash oneself	
pysgota	to fish	
ar fferm	on a farm	afal — apple
gyrrwr bws	bus driver	bacwn — bacon
gyrrwr tacsi	taxi driver	bara menyn — bread and butter
		bisged(i) — biscuit(s)

uned 1
1. Helo! S'mae! Bore da! Pnawn da! Noswaith dda!
2. Pwy wyt ti?   **Mike** dw i
3. Sut dach chi?   Da iawn, diolch. Gweddol.
                                  Wedi blino. Ofnadwy
4. Cyfri 0 - 10
   Be' ydy **1 a 3**? **5.**   Ia / Naci

uned 2
1. Dw i isio **tôst**
2. Dw i ddim isio **llefrith**
3. Wyt ti isio **oren**?
   Dach chi isio **coffi**?   Oes / Nac oes
4. Be' wyt ti isio i **frecwast**?

uned 3
1. Dw i'n **yfed llefrith**.
   Be' wyt ti'n wneud?
   Be' dach chi'n wneud?
2. Pwy ydy o / hi?
3. Mae o / hi'n **cysgu**.
   Be' mae o'n wneud?
   Be' mae hi'n wneud?
4. Dydd Llun, dydd Mawrth...

uned 4
1. **Nyrs** ydy o?   Ia. Nyrs ydy o
   Athrawes ydy hi?   Naci. Dim **athrawes** ydy hi
2. Mae o'n gweithio yn y **theatr**
   Mae hi'n gweithio **mewn ysgol**
   Lle mae o / hi'n gweithio?
3. Ydy o'n **dysgu**?
   Ydy hi'n **coginio**?   Ydy / Nac ydy

uned 5
1. Dw i'n hoffi **peintio**   Dw i ddim yn hoffi
                                        cadw'n heini
2. Mae o / hi'n hoffi siopa   Dydy o / hi ddim yn
                                        hoffi **darllen**
3. Be' wyt ti'n hoffi?
   Be' dach chi'n hoffi?
   Be' mae o / hi'n hoffi?
4. Wyt ti'n hoffi **garddio**?
   Ydy o / hi'n hoffi **smwddio**? Ydy / Nac ydy

uned 6
1. Dan ni'n **sgïo**   Dan ni ddim yn **tacluso**
2. Maen nhw'n **ysgrifennu**   Dydyn nhw ddim yn **darllen**
3. Ydan ni'n **rhedeg**?   Ydan / Nac ydan
   Ydyn nhw'n **chwarae**?   Ydyn / Nac ydyn
4. Maen nhw'n hoffi **siopa**
   Dydyn nhw ddim yn hoffi **coginio**
   Be' maen nhw'n hoffi wneud?

Gweithgareddau Adolygu
Revision Activities

uned 1

Find a partner. Greet and ask each other how you are many times, until you run out of answers.

Next, try some simple sums. If you feel ready to venture up to twenty:

11 – un deg un   12 – un deg dau   13 – un deg tri
...and so on up to...   20 – dau ddeg

uned 2

Take it in turns to say you want to do the things pictured. Everything your partner says he/she wants to do, say you don't want to do it!

Add a few more activities.

uned 3

Ask each other if you want to do certain things on certain days of the week, and answer in full sentences. Fill in the grid accordingly.

dydd	gweithgaredd *activity*	✔ neu ✘ (eich partner)
Llun	*coginio*	✘
Mawrth		
Mercher		
Iau		
Gwener		
Sadwrn		
Sul		

uned 4

What are they, where do they work, and what do they do?
Ask as many questions as you can about each person pictured.

uned 5

How many food and drink items can you remember in Welsh?
Make a list with your partner. Then, ask each other whether you like some of them, answering with a full sentence each time.

_____

_____

_____

_____

_____

_____

uned 6

Partner 1: cover the other grid. Ask whether the children named like the activities, and fill the empty boxes with 🙂 or 🙁 accordingly.

partner 1	Jen a Tom	Lucy a Ben	Chris a Carl
bowlio deg	🙂		🙁
nofio		🙂	
dawnsio			🙂
chwarae gemau bwrdd	🙁		🙁
darllen storïau		🙂	

Partner 2: cover the other grid. Ask whether the children named like the activities, and fill the empty boxes with 🙂 or 🙁 accordingly.

partner 2	Jen a Tom	Lucy a Ben	Chris a Carl
bowlio deg		🙂	
nofio	🙁		🙁
dawnsio	🙁	🙂	
chwarae gemau bwrdd		🙂	
darllen storïau	🙂		🙁

dechrau →

Count from 10 down to 0 (yn Gymraeg!)

Be' ydy saith a dau?

Be' ydy eich rhif ffôn chi?

Say one thing you want to eat, one thing you don't.

Wyt ti isio iogwrt i ginio?

Find out what your partner wants for breakfast tomorrow.

Be' dach chi a'r teulu'n gael i swper heno?

Name the days of the week.

Ydy eich teulu chi'n hoffi rygbi?

Trac adolygu

Be' dach chi'n wneud dydd Sadwrn?

Be' ydy They're not going to school yn Gymraeg?

Point at somebody in the room, say who it is and what they're doing.

Be' ydy He doesn't like running yn Gymraeg?

Be' dach chi'n hoffi wneud dydd Sadwrn a dydd Sul?

Wyt ti'n hoffi bwyta allan?

Be' mae athro'n wneud?

Ask your partner whether he/she works.

Lle mae nyrs yn gweithio?

Presennol *Bod*
Present tense of to be

Person		Positif		Negyddol (Negative)		Cwestiwn	
Unigol	1st	Dw i'n...	*I am...*	Dw i ddim yn...	*I am not...*	Ydw i'n...?	*Am I...?*
Singular	2nd	Rwyt ti'n...	*You are...*	Dwyt ti ddim yn...	*You are not...*	Wyt ti'n...?	*Are you...?*
	3rd	Mae o/hi'n...	*He/she is...*	Dydy o/hi ddim yn...	*He/she is not...*	Ydy o/hi'n...?	*Is he/she...?*
Lluosog	1st	Dan ni'n...	*We are...*	Dan ni ddim yn...	*We are not...*	Ydan ni'n...?	*Are we...?*
Plural	2nd	Dach chi'n...	*You are...*	Dach chi ddim yn...	*You are not...*	Dach chi'n...?	*Are you...?*
	3rd	Maen nhw'n...	*They are...*	Dydyn nhw ddim yn...	*They are not...*	Ydyn nhw'n...?	*Are they...?*

If you studied Welsh at school, you may have learnt slightly
different forms, such as Rydw i'n *or* Rwy'n *instead of* Dw i'n.
Although you will encounter various forms in books, the ones
above are most commonly used in conversation.

Geirfa Uned 8

cyfrifiadur	*computer*	codi	*to get up, to pick up*
gwaith cartre(f)	*homework*	colli	*to lose, to miss*
tŷ bach	*toilet*	ennill	*to win*
		ffonio	*to phone*
digon	*enough*	gorffen	*to finish*
eto	*again, yet*	gwisgo	*to get dressed,*
yn barod	*already, ready*		*to put on, to wear*

TIP
Long words are easy to learn if you break
them up first, then put them back together.

cyf–rif–ia–dur → cyfrif–iadur → cyfrifiadur

Iaith y dosbarth

Classroom language

It is usual for the tutor to use a lot of English in the early stages of a Welsh course. However, as you proceed through the course, the tutor will gradually move towards using the Welsh language. A number of the words below have already appeared in units 1-7, and you will hear your tutor using them more and more. There is no need to memorise them at this stage.

adolygu	*revision, to revise*	**dosbarth**	*class*	**sillafu**	*to spell*
ansoddair	*adjective*	**enw**	*name, noun*	**taflen**	*sheet, handout*
ateb(ion)	*answer(s)*	**gair**	*word*	**tiwtor**	*tutor*
benywaidd	*feminine*	**geirfa**	*vocabulary*	**treiglad**	*mutation*
berf	*verb*	**gwers**	*lesson*	**tudalen**	*page*
brawddeg(au)	*sentence(s)*	**gwrywaidd**	*masculine*	**uned**	*unit*
cwestiwn	*question*	**llenwi bylchau**	*filling the gaps*	**unigol**	*singular*
cwestiynau	*questions*	**lluosog**	*plural*	**y dyfodol**	*the future*
cwrs	*course*	**pâr**	*pair*	**y gorffennol**	*the past*
deialog	*dialogue*	**partner**	*partner*	**y presennol**	*the present*
dis	*dice*	**sgwrs**	*chat, conversation*	**ymarfer**	*practice, to practise*

Here are some useful phrases for you to use:

Mae gen i gwestiwn	*I have a question*
Sut mae dweud "lorry" yn Gymraeg?	*How do you say "lorry" in Welsh?*
Dw i ddim yn deall	*I don't understand*
Mae'n flin gen i fod yn hwyr	*I'm sorry for being late*
Does gen i ddim partner	*I don't have a partner*
Dyma fy ngwaith cartref i	*Here's my homework*
Dw i ddim yn medru dŵad yr wythnos nesa	*I can't come next week*
Tan yr wythnos nesa	*Until next week*

Wyt ti wedi 'molchi eto?

Have you washed yet?

Themâu: y cartref, yr ysgol, hamdden
Themes: the home, the school, leisure

Content:

- *talking about the recent past*

1.

Dw i wedi 'molchi	*I've washed*
Dw i wedi gorffen	*I've finished*
Dw i ddim wedi cael brecwast	*I haven't had breakfast*
Dw i ddim wedi bwyta'r llysiau	*I haven't eaten the vegetables*

2.

Wyt ti wedi yfed y dŵr?	*Have you drunk the water?*
Wyt ti wedi cael digon?	*Have you had enough?*
Dach chi wedi codi?	*Have you got up?*
Dach chi wedi gwisgo?	*Have you got dressed?*

3.

Rwyt ti wedi cael bath yn barod	*You've had a bath already*
Dach chi wedi tacluso'n barod	*You've tidied up already*
Dwyt ti ddim wedi cysgu eto	*You haven't slept yet*
Dach chi ddim wedi gwneud y gwaith cartre eto	*You haven't done the homework yet*

nodiadau

- *Dw i'n 'molchi* = I'm washing.
- *Dw i **wedi** 'molchi* = I have washed.

Ymarfer

a. *Say four things you've done today and four that you haven't.*

b.  **Efo'ch plentyn**

Gêm mynd i'r ysgol

- *Throw the dice and get a 1 to move to the first foot. Say* dw i isio 1 *before you throw the dice*

- *If you don't get a 1, say* dw i ddim wedi codi eto *and stay where you are*

- *When you get a 1, say* dw i wedi codi *and move to 1*

- *You must throw 1 – 6 in the correct order to be able to move on*

- *The first to reach the school wins.* **Dw i wedi ennill y gêm!**

c. Efo'ch partner

Look at the grid and choose to be either Siân, Lisa, Owen or Steffan. Your partner will do the same. Then, ask one another if you have done the things listed in the grid yet today. Listen to the answers, and guess which character your partner is.

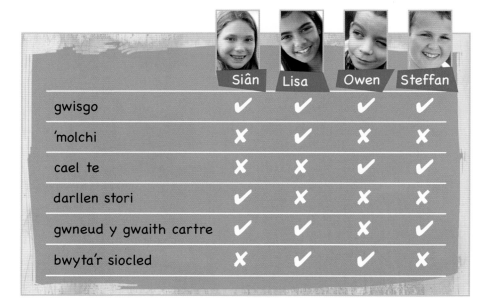

	Siân	Lisa	Owen	Steffan
gwisgo	✔	✔	✔	✔
'molchi	✘	✔	✘	✘
cael te	✘	✘	✔	✔
darllen stori	✔	✘	✘	✘
gwneud y gwaith cartre	✔	✔	✘	✔
bwyta'r siocled	✘	✔	✔	✘

Seiniau'r Gymraeg: adolygu

Welsh sounds: revision

The words below contain some of the sounds covered in previous units.

a)   acen, adio, cof, egin

b)   uchel, naddo, cyffio, cangen

c)   meddygfa, teganau, tywyllwch, chwaraeon

ch) carai, dail, chwaer, parau

d)   gweithio, ceir, na chei, lleuad

dd) cloi, troi, lloi, oer

e)   dwy, hwyr, trwy, ŵy

f)   cawl, llawen, awn, awr

ff) ewch, newydd, tew, pathew

g)   piws, Siw, Huw, uwd

4.

Ydy Huw wedi mynd i'r tŷ bach?	Ydy	*Has Huw gone to the toilet?*	*Yes, he has*
Ydy Lowri wedi chwarae ar y cyfrifiadur?	Nac ydy	*Has Lowri played on the computer?*	*No, she hasn't*
Ydyn nhw wedi peintio llun?	Ydyn	*Have they painted a picture?*	*Yes, they have*
Ydy Nia a Nel wedi colli'r gêm?	Nac ydyn	*Have Nia and Nel lost the game?*	*No, they haven't*

Ymarfer   *Get your partner to cover the grid above. Use pattern 4 to find out if he / she can remember who has done what.*

Deialog

Rhiant:	Dwyt ti ddim wedi 'molchi eto.
Plentyn:	Nac ydw, sori.
Rhiant:	Dwyt ti ddim wedi **gwisgo** chwaith.
Plentyn:	Nac ydw, sori.
Rhiant:	Wyt ti wedi **cael brecwast** eto?
Plentyn:	Nac ydw, sori.
Rhiant:	Wel, tyrd! Dan ni'n mynd mewn munud.

 Cân Sosban Fach

Mae bys Meri-Ann wedi brifo
A Dafydd y gwas ddim yn iach
Mae'r baban yn y crud yn crio
A'r gath wedi scrapo Joni bach.

Sosban fach yn berwi ar y tân
Sosban fawr yn berwi ar y llawr
A'r gath wedi scramo Joni bach.

Dai bach y sowldiwr
Dai bach y sowldiwr
Dai bach y sowldiwr
A chwt ei grys e mas.

Geirfa Uned 9

aros	to wait, to stay	bloc(iau) pren	wooden block(s)
bihafio	to behave	dillad	clothes
brysio	to hurry	esgid(iau)	shoe(s)
dŵad	to come	pensil(iau)	pencil(s)
eistedd	to sit (down)	tegan(au)	toy(s)
neidio	to jump	ystafell wely	bedroom
stopio	to stop		
		gynta(f)	first of all
		yn araf	slowly
		yn gyflym	quickly
		ond	but

Tyrd yma, cariad

Come here, love

Themâu: y cartref, yr ysgol, hamdden
Themes: the home, the school, leisure

Content:

- *basic commands*

1. *add* **-a / -wch**

	ti	chi	
Eistedd	Eistedda!	Eisteddwch!	*Sit (down)!*
Edrych	Edrycha!	Edrychwch!	*Look!*
Siarad	Siarada!	Siaradwch!	*Speak!*
Darllen	Darllena!	Darllenwch!	*Read!*
Gorffen	Gorffenna!	Gorffennwch!	*Finish!*

2. *drop final vowel, add* **-a / -wch**

	ti	chi	
Bihafio	Bihafia!	Bihafiwch!	*Behave*
Brysio	Brysia!	Brysiwch!	*Hurry up!*
Stopio	Stopia!	Stopiwch!	*Stop!*
Tacluso	Taclusa!	Tacluswch!	*Tidy up!*
Bwyta	Bwyta!	Bwytwch!	*Eat!*

3. *verbs ending in* -ed, -eg
drop the last two letters, add **-a / -wch**

	ti	chi	
Yfed	Yfa!	Yfwch!	*Drink!*
Cerdded	Cerdda!	Cerddwch!	*Walk!*
Rhedeg	Rheda!	Rhedwch!	*Run!*

4. afreolaidd *(irregular)*

	ti	chi	
Mynd	Dos!	Ewch!	*Go!*
Dŵad	Tyrd!	Dewch!	*Come (on)!*
Gwneud	Gwna!	Gwnewch!	*Do / Make!*
Aros	Arhosa!	Arhoswch!	*Wait!*
Chwarae	Chwaraea!	Chwaraewch!	*Play!*
Gwrando	Gwranda(wa)!	Gwrandewch!	*Listen!*

Efo'ch plentyn

What other commands can Simon give?

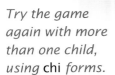

Try the game again with more than one child, using chi *forms.*

Cerdda!

Rheda'n araf!

Stopia!

Mae Seimon yn dweud...

Eistedda!

Dawnsia'n gyflym!

Ti ydy Seimon rŵan!

41

Tacluso'r ystafell wely

Get your child(ren) to tidy up
the various items on the floor.

Taclusa'r dillad, plîs!

Tacluswch y dillad, plîs!

Ynganu
Pronunciation

Enwau lleoedd yng Nghymru
Welsh place names

*Say these place names clearly, giving special attention to the
letter r. Can you match the places with the numbers on the map?
e.g.* Caerdydd ydy rhif 13

○ Aberystwyth
○ Caernarfon
○ Abertawe
○ Caerleon
○ Pen-y-bont
○ Aberdaugleddau
○ Dolgellau
○ Dinbych-y-pysgod
○ Llandudno
○ Merthyr
○ Caerfyrddin
○ Llandrindod
○ Porth-cawl
○ Y Trallwng

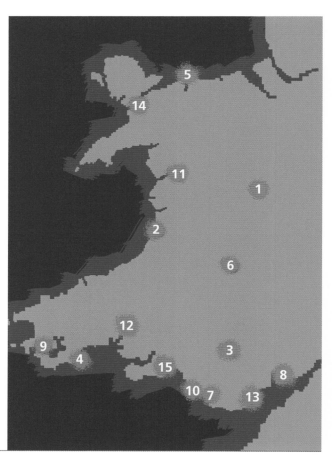

nodiadau   ■ *Taclusa'r dillad*   *Tacluswch y dillad*
Y becomes **'r** after a vowel, but not after a consonant.

Deialog

Plentyn: **Mam**! Dw **i a Rhys** isio **edrych ar y teledu**.

Rhiant: Iawn. Ond **gwnewch y gwaith cartref** gynta.

Plentyn: Wrth gwrs, **Mam**.

(amser bwyd)

Plentyn: Mm! Dw i isio **jeli** i bwdin.

Rhiant: Iawn, cariad. Ond bwyta'r **llysiau** gynta, plîs!

Plentyn: Ych! Dw i ddim yn hoffi **llysiau** o gwbl.

🎵 Cân

Tôn: *Here we go round the mulberry bush*

Bwyta'n araf, bwyta'n araf,

Bwyta'n araf, bwyta'n araf,

Bwytwch yn araf, bwytwch yn araf,

Bwytwch yn araf.

2. Bwyta'n gyflym
3. Yfa'n araf
4. Yfa'n gyflym
5. Cerdda'n araf

6. Cerdda'n gyflym
7. Dawnsia'n araf
8. Dawnsia'n gyflym

Geirfa Uned 10

diod	*drink*
fferins	*sweets*
grawnwinen, **grawnwin**	*grape(s)*
moronen, **moron**	*carrot(s)*
omled	*omelette*
rhiwbob	*rhubarb*
sosej	*sausage*
llyfr	*book*
cael panad	*to have a cuppa*
gofyn cwestiwn	*to ask a question*
gwylio rhaglen	*to watch a programme*
darllen y papur	*to read the paper*
talu	*to pay*
ymlaen ('mlaen)	*forwards, on*
yn ôl ('nôl)	*backwards, back, ago*
anodd	*difficult*

Ga' i afal, plîs?

Can I have an apple, please?

Themâu: bwyd a diod
Themes: food and drink

Content:

- *requesting items*
- *requesting permission to do things*

1.

Ga' i hufen iâ, plîs?	*Can I have ice cream, please?*
Ga' i oren, plîs?	*Can I have an orange, please?*
Ga' i sglodion, os gwelwch chi'n dda?	*Can I have chips, please?*
Ga' i sosej, os gwelwch chi'n dda?	*Can I have a sausage, please?*
Cei / Na chei	*Yes, you can / No, you can't*
Cewch / Na chewch	*Yes, you can / No, you can't*

Ymarfer

Ask for the food and drink items below, and as many more as you can think of.

2. Treiglad Meddal
Soft Mutation

p	→	b	pysgod	→ Ga' i **b**ysgod?
t	→	d	tatws	→ Ga' i **d**atws?
c	→	g	cacen	→ Ga' i **g**acen?
b	→	f	banana	→ Ga' i **f**anana?
d	→	dd	diod	→ Ga' i **dd**iod?
g	→	-	grawnwin	→ Ga' i **_**rawnwin?
ll	→	l	llysiau	→ Ga' i **l**ysiau?
m	→	f	moron	→ Ga' i **f**oron?
rh	→	r	rholiau bara	→ Ga' i **r**oliau bara?

Efo'ch plentyn: **Gêm fwrdd 'Ga' i...?'**
Board game

You will need a counter each, and a dice. Ask for each item you land on. Your partner will answer cei *when there is a* ✔ *and* na chei *when there is a* ✘*. Each time you get an item, write it in your bag. When you land on a* 😊*, ask for any item you like. The player with the most items in his / her bag after getting to* Gorffen *is the winner.*

Dechrau →

Gorffen ↑

ewch ymlaen 5 →

Ga'i... ?

ewch yn ôl 4 ↑

1.
2.
3.
4.
5.

6.
7.
8.
9.
10.

ewch ymlaen 6 ↑

ewch ymlaen 2 ↓

ewch ymlaen 3 ←

ewch yn ôl 1 →

3.

Ga' i fynd, plîs?	*Can I go, please?*
Ga' i ddarllen llyfr, plîs?	*Can I read a book, please?*
Ga' i wylio rhaglen, plîs?	*Can I watch a programme, please?*
Ga' i ofyn cwestiwn, plîs?	*Can I ask a question, please?*

Ymarfer

*Tick five activities which you will allow your partner to do.
Ask each other for permission to do them, using* os gwelwch
chi'n dda? *each time.*

Ynganu

Y llythyren 'y' *The letter 'y'*

When **y** *is in the last syllable in a word, it is like* **i** *in* hit.
Elsewhere, it is usually like **u** *in* club.

ymyl	ydyn	tywydd
mynydd	dyffryn	ynys
tywyll	hyfryd	bywyd
ymylon	ymyrryd	tywynnu
mynyddoedd	dyffrynnoedd	ynysoedd
cymylog	bywydau	tywysog

Deialog

Plentyn: **Dad**! Ga' i **bapur lliw**, plîs?

Rhiant: Cei, cariad. Dyma ti. Be' wyt ti isio wneud?

Plentyn: **Het origami**.

Rhiant: Da iawn ti. Ga' i helpu?

Plentyn: Na chei, **Dad**. Mae'n anodd iawn.

Blociau pren – castell
Lego – ambiwlans
Pensiliau lliw – cerdyn pen-blwydd *(birthday card)*
Paent a brws – llun o'r tŷ

 Cân
Tôn: *Polly, put the kettle on*

Ga' i baent, os gwelwch chi'n dda?
Ga' i baent, os gwelwch chi'n dda?
Ga' i baent, os gwelwch chi'n dda?
Cei. Dyma ti.

glud, dŵr, brws

Geirfa Uned 11

Nadolig Llawen!	*Merry Christmas!*
Blwyddyn Newydd Dda!	*Happy New Year!*
angel	*angel*
anrheg	*gift, present*
asyn	*donkey*
bugail	*shepherd*
doethion	*wise men*
dyn eira	*snowman*
oen	*lamb*
seren, sêr	*star(s)*
Siôn Corn	*Santa Claus*
stabl	*stable*
tocyn	*ticket, token*
Y Baban Iesu	*Baby Jesus*
dathlu	*to celebrate*
oddi wrth	*from (a person)*

Banc bwyd a diod

Food and drink bank

This list is for you to dip into as and when needed. There's no need to memorise these words at this stage.

Cymraeg	Saesneg	Cymraeg	Saesneg	Cymraeg	Saesneg
afal	*apple*	cyw iâr	*chicken*	pasta	*pasta*
banana	*banana*	darn o…	*a piece of…*	pastai	*pie*
bara menyn	*bread and butter*	diod ysgafn	*soft drink*	peren	*pear*
betys	*beetroot*	dŵr	*water*	pinafal	*pineapple*
bisgedi	*biscuits*	eirin	*plums*	pizza	*pizza*
blawd	*flour*	eirin gwlanog	*peaches*	pupur	*pepper*
blodfresych	*cauliflower*	ffa	*beans*	pwdin	*pudding*
brechdan	*sandwich*	fferins	*sweets*	pys	*peas*
bresych	*cabbage*	ffrwythau	*fruit*	pysgod	*fish*
bwyd Eidalaidd	*Italian food*	garlleg	*garlic*	reis	*rice*
bwyd Indiaidd	*Indian food*	grawnffrwyth	*grapefruit*	rhiwbob	*rhubarb*
bwyd Prydeinig	*British food*	grawnfwyd	*cereal*	rholiau bara	*bread rolls*
bwyd Tsieineaidd	*Chinese food*	grawnwin	*grapes*	saim	*fat*
bwyd wedi'i rewi	*frozen food*	gwin	*wine*	salad	*salad*
bwyd y môr	*sea food*	halen	*salt*	saws	*sauce*
bwydydd parod	*prepared meals*	ham	*ham*	sglodion	*chips*
byrbryd	*snack*	hufen	*cream*	siocled poeth	*hot chocolate*
cacen	*cake*	hufen iâ	*ice cream*	siwgr	*sugar*
cawl	*soup, Welsh broth*	hwyaden	*duck*	sudd ffrwythau	*fruit juice*
caws	*cheese*	iogwrt	*yoghurt*	tafell o fara	*slice of bread*
ceirios	*cherries*	jam	*jam*	tarten	*tart, flan*
cennin	*leek*	jeli	*jelly*	tatws	*potatoes*
cig eidion	*beef*	lemwn	*lemon*	te	*tea*
cig moch(yn), bacwn	*bacon*	llysiau	*vegetables*	teisen	*cake*
cig oen	*lamb*	mefus	*strawberries*	torth o fara	*loaf of bread*
cnau	*nuts*	melon	*melon*	tôst	*toast*
coffi	*coffee*	melysion	*sweets, confectionery*	treiffl	*trifle*
creision	*crisps*	moron	*carrot*	twrci	*turkey*
creision ŷd	*cornflakes*	nionod	*onions*	uwd	*porridge*
crempog	*pancakes*	olew coginio	*cooking oil*	whisgi	*whisky*
cwrw	*beer*	omled, omlet	*omelette*	ŵy	*egg*
cyrri	*curry*	oren	*orange*	ysgytlaeth	*milkshake*

Anagramau

Be' ydy'r rhain? *What are these?*

gerpcom _____ rantte _____ noslimey _____ huwyffart _____

hyscreb _____ hewandy _____ noodligs _____ sdygop _____

Darllen: Amser swper

Dyma Mr a Mrs Gwyn a'u plant. Tiwtor Cymraeg ydy Mr Gwyn, ac actores ydy Mrs Gwyn.

Mae Mrs Gwyn yn gweithio yn y stydi, ac mae Mr Gwyn yn coginio swper. Mae'r plant isio mynd allan i chwarae.

"Dadi! Gawn ni fynd i'r parc, plîs?"
"Na chewch, cariad, dim rŵan. Dan ni'n cael swper mewn pum munud."
"Iawn. Gawn ni edrych ar y teledu, 'ta?"
"Dach chi wedi gwneud y gwaith cartref eto?"
"O, na!"
"Gwnewch o rŵan, plîs. Dyna blant da."

Dydy'r plant ddim isio gwneud y gwaith cartref, wrth gwrs. Mathemateg ydy o, ac mae o'n ddiflas.

Heno, mae'r teulu'n cael pasta a salad i swper. Mae'r plant yn hoffi pasta (spaghetti efo saws caws ydy o), ond dydyn nhw ddim yn hoffi salad yn fawr iawn. Os ydyn nhw'n bwyta'n dda, maen nhw'n cael pwdin. Jeli lemwn efo hufen iâ fanila ydy'r pwdin heno.

"Dewch, bawb! Amser swper!"
Mae Mr Gwyn yn galw, ond dydyn nhw ddim yn dŵad.
"Hei! Lle dach chi? Be' dach chi'n wneud? AMSER SWPER! DEWCH!"
Dyma nhw'n dŵad rŵan.

"Iawn, 'ta. Dach chi wedi golchi eich dwylo?"
"Ydan, Dadi."
"Eisteddwch, 'ta."
"Dadi, ga' i'r halen a'r pupur, plîs?"
"Mae halen a phupur yn y pasta, cariad."

Mae pawb yn bwyta'n dda, ac maen nhw'n cael pwdin. Mae'r teulu'n lwcus, achos mae Mr Gwyn yn coginio'n dda iawn. Mae Mr a Mrs Gwyn yn cael te, ac mae'r plant yn mynd i'r gwely.

TIP
Read through the whole text, and try to guess the meaning of any unfamiliar words. Check in the vocabulary index at the end of the book to see if you're right.

Gwybodaeth ddefnyddiol
Useful information

Mentrau Iaith Cymru
Promoting the Welsh Language in the community
A national organisation which helps local Mentrau Iaith by encouraging co-operation, sharing ideas and experiences.
www.mentrau-iaith.com
01492 642357

Y Nadolig

Christmas

Thema: dathliadau
Theme: celebrations

Content:

- *Christmas cards*
- *Nativity*
- *other religions*
- *Christmas presents*

1. Gwneud cerdyn Nadolig
Making a Christmas card

Nadolig Llawen
A Blwyddyn Newydd Dda.
Dymuniadau Gorau

Oddi wrth Pam

Merry Christmas
and a Happy New Year.
Best Wishes

From Pam

Lliwiwch y llun sydd yn y pecyn ymarfer. Torrwch ar hyd y llinell dew. Wedyn, ysgrifennwch ar y cefn, ac anfonwch y cerdyn.
Colour in the picture in the 'pecyn ymarfer'. Cut along the thick line. Then, write on the back, and send the card.

2. Stori'r Geni

Mae Mair a Joseff yn mynd i Fethlehem. Mae Mair yn cael y Baban Iesu mewn stabl. Mae'r bugeiliaid yn dŵad i weld y Baban Iesu. Mae'r doethion yn dŵad i'r stabl i weld y Baban Iesu hefyd. Maen nhw'n rhoi anrhegion i'r Baban Iesu. Mae pawb yn hapus iawn.

Ask questions about the picture.

Crefyddau eraill: be' maen nhw'n ddathlu?
Other religions: what do they celebrate?

Mae'r **Iddewon** *(Jews)* yn dathlu
Yom Kippur a'r **Pentacost**

Mae'r **Moslemiaid** yn dathlu **Eid-Ul-Fitr-Ul-Fitr**
(diwedd **Ramadan**)

Mae'r **Bwdistiaid** yn dathlu **Diwrnod Bodhi**

Mae'r **Hindwiaid** yn dathlu **Holi**

Mae Siôn Corn yn dŵad…

Mae Efa isio beic!

Dydy hi ddim isio fferins.

Be' dach chi isio oddi wrth Siôn Corn?

A be' mae'r plant isio?

Dw i isio radio!

teledu	piano	llyfr
esgidiau	bag	tocyn theatr
gemau bwrdd	Lego	tocyn rygbi
siocledi	cyfrifiadur	cloc
dillad	ffôn	camera
teganau	llithren	pêl-droed

 Cân Oer yw'r Gŵr
Tôn: *Deck the Halls*

Oer yw'r gŵr sy'n methu caru,
Ffa la la la la, la la la la
Hen fynyddoedd annwyl Cymru,
Ffa la la la la, la la la la
Iddo ef a'u câr gynhesaf,
Ffa la la, la la la, la la la
Gwyliau llawen flwyddyn nesaf,
Ffa la la la la, la la la la.

Oer yw'r eira ar Eryri,
Ffa la la la la, la la la la
Er fod gwrthban gwlanen arni,
Ffa la la la la, la la la la
Oer yw'r bobol na ofalon,
Ffa la la, la la la, la la la
Gwrdd â'i gilydd ar Nos Galan,
Ffa la la la la, la la la la.

Geirfa Uned 12

cacen gri	*welsh cake*
creision	*crisps*
cwrw	*beer*
cyw iâr	*chicken*
gwin	*wine*
porc	*pork*
pys	*peas*
salad	*salad*
treiffl	*trifle*
uwd	*porridge*
diddorol	*interesting*
iach	*healthy*
siŵr	*sure*
cofio	*to remember*

Be' gest ti i ginio heddiw?

What did you have for lunch today?

Themâu: bwyd a diod, yr ysgol, hamdden
Themes: food and drink, school, leisure

Content:

- *Simple questions in the past tense*

1.

Be' gest ti i frecwast bore 'ma?	Uwd	*What did you have for breakfast this morning?*	*Porridge*
Be' gest ti i ginio heddiw?	Brechdanau	*What did you have for lunch today?*	*Sandwiches*
Be' gest ti i swper neithiwr?	Salad	*What did you have for supper last night?*	*Salad*
Be' gest ti i de ddoe?	Dim byd	*What did you have for tea yesterday?*	*Nothing*

2.

Be' wnest ti yn yr ysgol heddiw?	*What did you do in school today?*
Dim byd diddorol	*Nothing interesting*
Be' wnest ti yn y parc bore 'ma?	*What did you do in the park this morning?*
Chwarae criced	*Play cricket*
Be' wnest ti yn y tŷ pnawn 'ma?	*What did you do in the house this afternoon?*
Gwylio ffilm ar y teledu	*Watch a film on television*
Be' wnest ti yn y clwb heno?	*What did you do in the club tonight?*
Chwarae ar y cyfrifiadur	*Play on the computer*

nodiadau ■ This unit covers only *ti* questions, and short answers. The past tense will be dealt with fully later in the course.

Ymarfer

Efo'ch plentyn

Ask your child about his/her recent meals.
Practise first with some others in the class.

Some possible responses

Dyna hyfryd! *That's lovely!*	Iach iawn, wir *Very healthy indeed*
Wyt ti'n siŵr? *Are you sure?*	Dydy o ddim yn dda i ti *It's not good for you*

enw	brecwast bore 'ma	swper neithiwr	cinio ddoe	brecwast bore ddoe

Time expressions: complete the grid

today	*heddiw*
this morning	
this afternoon	
yesterday	
yesterday morning	
yesterday afternoon	
last night	

Ymarfer

Ask your partner about his or her recent activities.
Answer using the pictures if you prefer.

Y Treiglad Meddal – ymarfer pellach
The Soft Mutation – further practice

Ask for these items:	Ask permission to do these things:
pasta, pwdin	peintio, pysgota
tôst, te	talu, tacluso
cawl, caws	cael panad, coginio
diod, dŵr	dawnsio, darllen y papur
grawnwin, gwin	gofyn cwestiwn, gwrando ar y radio
llysiau, llefrith	lliwio
moron, menyn	mynd i'r siop
rhiwbob, rholiau bara	rhedeg

Now then, what can I order that doesn't have a treiglad...

Ynganu

Enwau Cymraeg ar leoedd yn Lloegr
Welsh names for English places

Many older English towns, cities and regions have Welsh names. Can you match the below place names with the dots on the map?

1. Llundain
2. Bryste
3. Dyfnaint
4. Cernyw
5. Manceinion
6. Lerpwl
7. Caer
8. Caerfaddon

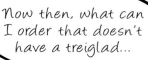

Deialog

Mae Nain yn holi Alex
Gran interrogates Alex

Nain:	Reit. Be' wnest ti **heddiw**, 'ta?
Plentyn:	**Siopa yn Tesco** efo **Dad**, ac **edrych ar y teledu**.
Nain:	A be' gest ti i **ginio**?
Plentyn:	Dw i ddim yn cofio. Sori, Nain.
Nain:	Wyt, wyt ti'n cofio! Be' gest ti?
Plentyn:	O, ia. **Pizza**.
Nain:	**Pizza**! Dydy **pizza** ddim yn dda i ti. Nac'dy, wir.

 Cân **Be' gest ti i frecwast bore 'ma?**

Be' gest ti i **frecwast bore 'ma**?
Be' gest ti i **frecwast bore 'ma**?
Tôst a marmalêd i fi! Blasus iawn.

2. Brecwast bore 'ma, *Weetabix* ac ŵy
3. Cinio heddiw, brechdan ham a llefrith
4. Swper neithiwr, caws ar dôst a ffrwyth

Geirfa Uned 13

bwrw eira	*to snow*	gwyntog	*windy*
bwrw glaw	*to rain*	heulog	*sunny*
benthyg	*to borrow,*	niwlog	*foggy*
	to lend	oer	*cold*
		poeth / twym	*hot*
bendigedig	*wonderful*	stormus	*stormy*
braf	*fine*	sych	*dry*
cymylog	*cloudy*		
cynnes	*warm*	ymbarel	*umbrella*
diflas	*dull, miserable*		
gwlyb	*wet*	pan mae hi'n...	*when it's...*

Mae'n bwrw glaw bore 'ma

It's raining this morning

Thema: y tywydd
Theme: weather

Content:

- the weather

1.

bwrw glaw	mae hi'n bwrw glaw	*it's raining*
bwrw eira	mae hi'n bwrw eira	*it's snowing*
bendigedig	mae hi'n **f**endigedig	*it's wonderful*
braf	mae hi'n braf	*it's fine*
cymylog	mae hi'n **g**ymylog	*it's cloudy*
cynnes	mae hi'n **g**ynnes	*it's warm*
diflas	mae hi'n **dd**iflas	*it's dull*
gwlyb	mae hi'n _wlyb	*it's wet*
gwyntog	mae hi'n _wyntog	*it's windy*
poeth	mae hi'n **b**oeth	*it's hot*
twym	mae hi'n **d**wym	*it's hot*

2. Sut mae'r tywydd heddiw?
What's the weather like today?

Ydy hi'n heulog?	Ydy. Mae hi'n heulog
Ydy hi'n oer?	Ydy. Mae hi'n oer
Ydy hi'n niwlog?	Nac ydy. Dydy hi ddim yn niwlog
Ydy hi'n sych?	Nac ydy. Dydy hi ddim yn sych
Is it sunny?	*Yes. It's sunny*
Is it cold?	*Yes. It's cold*
Is it foggy?	*No. It isn't foggy*
Is it dry?	*No. It isn't dry*

nodiadau

■ *Mae hi'n* is normally shortened to *Mae'n*.

■ All the above words from *bendigedig* down are adjectives, which means they mutate after *yn*. *Bwrw glaw / eira* don't mutate after *yn* because they are verbs.

■ *Braf* is an exception, and stays as it is.

Ymarfer

Point at the pictures and ask your partner about them, using pattern 2. Answer with yes / no and a full sentence each time.

13

 Look at the pictures with your partner and follow the example.

A: Mam! Gawn ni chwarae tennis heddiw?

B: Cewch, wrth gwrs. Mae hi'n braf.

neu

    B: Na chewch, wir. Mae hi'n bwrw glaw.

_____

_____

_____

Dw i'n hoffi … **Dw i ddim yn hoffi**… **pan mae hi'n** …
I like …   *I don't like …*   *when it's…*

What do you and your child like doing?

Dw i'n hoffi chwarae yn y parc pan mae hi'n bwrw eira.

Dw i ddim yn hoffi gwneud gwaith cartref pan mae hi'n braf.

Dw i'n hoffi edrych ar y teledu pan mae hi'n bwrw glaw.

Dw i ddim yn hoffi gyrru pan mae hi'n niwlog.

Mae Ceri'n hoffi mynd i'r pwll nofio pan mae hi'n boeth.

Dydy o ddim yn hoffi mynd allan pan mae hi'n wyntog.

Deialog

Mae Nain yn ffonio

Nain:	Wel **bore da**, s'mae 'ta?
Plentyn:	**Nain**! Sut dach chi **heddiw**?
Nain:	**Da iawn, diolch**. Sut mae'r tywydd efo chi?
Plentyn:	Mae hi'n **fendigedig**.
Nain:	Wel, mae hi'n **bwrw glaw** fan hyn.
Plentyn:	O, na. Dach chi'n dŵad **heddiw**?
Nain:	Ydw. Amser **swper**.
Plentyn:	Hwrê!

 Cân Sut mae'r tywydd heddiw?

Sut mae'r tywydd heddiw? **Da** iawn, wir!
Sut mae'r tywydd heddiw? **Da** iawn, wir!
Ydy hi'n **heulog**? Ydy hi'n **heulog**?
Ydy, wir. Mae hi'n **heulog** iawn.

2. cas – niwlog
3. cas – gwyntog
4. da – cynnes (warm)

Geirfa Uned 14

jigso	jigsaw
llythyr	letter
sboncen	squash (game)
stamp(iau)	stamp(s)
aros gartre	to stay at home
canu'r piano	to play the piano
mynd ar sled	to go on a sledge
defnyddio	to use
peidio	to not do
postio	to post
prynu	to buy
sglefrio	to skate
ymlacio	to relax

uned 8

1. Dw i wedi **'molchi**
2. Wyt ti wedi **cael bath** eto?
3. Rwyt ti wedi **gwisgo** yn barod
   Dwyt ti ddim wedi **codi** eto
4. Ydy Huw wedi **peintio llun**? Ydy/Nac ydy

uned 9

1. Eistedd –   Eistedda!   Eisteddwch!
2. Tacluso –   Taclusa!   Tacluswch!
3. Cerdded –   Cerdda!   Cerddwch!
4. Dŵad –   Tyrd!   Dewch!

uned 10

1. Ga' i **hufen iâ**, plîs?   Cei / Na chei Cewch / Na chewch
2. Ga' i **bysgod**?   (Treiglad Meddal)
3. Ga' i **ddarllen**, plîs?   (Treiglad Meddal)

uned 11

(Y Nadolig – *no new patterns*)

uned 12

1. Be' gest ti **i frecwast bore 'ma**?   Tôst a jam
2. Be' wnest ti **yn yr ysgol heddiw**?   Chwarae rygbi

uned 13

1. Mae hi'n **gymylog**
2. Ydy hi'n **wyntog**?   Ydy. Mae hi'n wyntog
                            Nac ydy. Dydy hi ddim yn wyntog
3. Gawn ni **redeg** heddiw? Cewch / Na chewch
4. Dw i'n hoffi **gwylio'r teledu** pan mae hi'n **bwrw glaw**
   Dw i ddim yn hoffi **gyrru** pan mae hi'n **niwlog**

Gweithgareddau Adolygu
Revision Activities

uned 8

Be' wyt ti wedi wneud heddiw? Be' dwyt ti ddim wedi wneud?

a. Find at least four things your partner has done today, and four that he / she hasn't done. Wyt ti wedi ... heddiw?

wedi wneud	ddim wedi wneud

b. Find a new partner. Ask each other what your previous partners have and haven't done yet today.

uned 9

There were 15 different commands in the Mae Seimon yn dweud *game. How many can you remember without looking back (*ti *and* chi *forms)?*

New work

peidio –	Paid!	Peidiwch!	*Don't!*
	Paid mynd!	Peidiwch mynd!	*Don't go!*

Go through Seimon's commands again, first in the positive, then change them into negative commands.

Mae Seimon yn dweud...	rheda!	rhedwch!
Mae Seimon yn dweud...	paid rhedeg!	peidiwch rhedeg!

uned 10

You are staying at a youth hostel. Your partner is the receptionist.

a. Order as many different items as you can for breakfast, lunch and dinner (keep going until you can think of no more). Use Ga' i...? *for each item.*

b. Ask if you can do the things pictured (use Can we...?).

Try to think of some more things you and your family might want to do at a youth hostel.

uned 12

You are the grandparent, and arrive at the youth hostel the following evening to join the family.

a. Find out what they had to eat for each meal today and yesterday.

b. Ask what they did yesterday morning, afternoon and evening, and ask the same questions about today. Give suitable responses.

uned 13

Sut mae'r tywydd?

Ask each other what you like doing, and what you don't like doing, during the types of weather shown in the pictures.

You have learnt to describe 15 different types of weather. Can you remember them all?

Geirfa Uned 15

bag	bag
camera	camera
car	car
carped	carpet
cath	cat
drws	door
gwely	bed
llyfrau	books
radio	radio
sanau	socks
sliperi	slippers
stôl	stool
trên	train
bin sbwriel	litter bin, dustbin
bocs	box
cwpwrdd	cupboard
drôr	drawer
silff	shelf
ar	on
o dan	under
o flaen	in front of
yn ymyl	by (next to)
efallai (ella)	maybe
o'r diwedd	at last

dechrau →

Wyt ti wedi darllen y papur heddiw?	Be' ydy He hasn't finished yet yn Gymraeg?	Find out whether your partner has seen CYW on S4/C.	Say three commands you could use with your child.	Turn these into commands (ti a chi): mynd allan, dŵad mewn, tacluso'r dillad	Tell your partner(s) not to do three things.

| Ydy hi'n stormus heddiw? | | | | | Ask for any three items for supper (use May I have...). |

Trac adolygu

| Be' ydy Is it snowing? yn Gymraeg? | | | | | Ga' i wylio'r teledu? Be' ydy yes / no yn Gymraeg? |

| Sut mae'r tywydd heddiw? | | | | | Ask for permission to go to the park. |

| Be' ydy nothing interesting yn Gymraeg? | Ask your partner what he / she did on Saturday. | Be' gest ti i swper neithiwr? | Be' wyt ti isio oddi wrth Siôn Corn Nadolig nesa (next)? | Dach chi wedi dechrau eich siopa Nadolig eto? | What greetings could you write in a Welsh Christmas card? |

Be' sy yn y bocs?

What's in the box?

Thema: y cartref
Theme: home

Content:

- *where things are (in, on, by, under, in front of)*

1.

Mae jigso yn y bocs	*There is a jigsaw in the box*
Mae camera yn y cwpwrdd	*There is a camera in the cupboard*
Mae llyfrau ar y silff	*There are books on the shelf*
Mae sanau ar y carped	*There are socks on the carpet*

2.

Be' sy ar y bocs?	*What's on the box?*
Be' sy yn ymyl y bocs?	*What's by the box?*
Be' sy o dan y bocs?	*What's under the box?*
Be' sy o flaen y bocs?	*What's in front of the box?*

**Ymarfer:
Yr Ystafell Wely**

Use patterns 1 and 2 to talk about the picture. Then, cover the page and see what you can remember.

3.

Ydy'r Lego yn y drôr?	*Is the Lego in the drawer?*
Ydy'r radio ar y silff?	*Is the radio on the shelf?*
Ydy / Nac ydy	*Yes, it is / No, it isn't*
Ydy'r sliperi o dan y gwely?	*Are the slippers under the bed?*
Ydy'r esgidiau yn ymyl y drws?	*Are the shoes by the door?*
Ydyn / Nac ydyn	*Yes, they are / No, they're not*

Amser tacluso, blant!

Iawn, Dad!

Dyna blant da!

4. Amser tacluso *Time to tidy up*

Rho'r Lego yn y drôr, plîs	*Put the Lego in the drawer, please*
Rho'r radio ar y silff, plîs	*Put the radio on the shelf, please*
Rhowch y sliperi o dan y gwely, plîs	*Put the slippers under the bed, please*
Rhowch yr esgidiau yn ymyl y drws, plîs	*Put the shoes by the door, please*

a. Tell your child to tidy up the items below, as shown.

Choose ar, o flaen *and so on as appropriate.*

a. Think of suitable homes for the items below. Give instructions accordingly.

Ynganu

Here are some words you have already learnt.
Do you remember what they all mean?
Read them aloud as clearly as you can.

d/dd

ydy	cerddoriaeth
bendigedig	smwddio
cadw'n heini	bwrdd
cariad	ffrâm ddringo
codi	eistedd

l/ll

cawl	lliwio
cymylog	allan
diflas	llithren
glanhau	llun
gweld	ennill

f/ff

ysgrifennu	hoffi
nofio	gorffen
afal	treiffl
cyfrifiadur	ffôn
cyflym	ffermwr

Deialog

Mae Mel yn mynd i'r ysgol.

Plentyn: **Dad**, lle mae'r brechdanau?

Rhiant: Yn y **bag**.

Plentyn: Ond lle mae'r **bag**?

Rhiant: Ar y **bocs teganau**.

Plentyn: Ond lle mae'r **bocs teganau**?

Rhiant: Yn ymyl y **drws**. Efallai.

Plentyn: A! Dyma ni. O'r diwedd!

 Cân **Be' sy yn y bocs?**
Tôn: *The Farmer Wants a Wife*

Be' sy **yn y bocs**? Be' sy **yn y bocs**?
Pêl, pêl, pêl
Mae **pêl** yn y **bocs**.

2. ar y silff   radio
3. yn ymyl y drws   beic
4. o flaen y tŷ   car
5. o dan y bwrdd   bag

Geirfa Uned 16

tad	*father*
mam	*mother*
brawd	*brother*
chwaer	*sister*
ewythr (wncwl)	*uncle*
modryb (anti)	*aunt (auntie)*
gŵr	*husband*
gwraig	*wife*
rhiant, **rhieni**	*parent, parents*
ffrind	*friend*
diod	*a drink*
jyngl	*jungle*
llew	*lion*
llygoden	*mouse*
mwnci	*monkey*
potel	*bottle*
rŵan	*now*

Sawl wncwl sy 'na?

How many uncles are there?

Thema: rhifo
Theme: counting

Content:

- *counting masculine and feminine nouns*

1.

un wncwl	un anti	*one uncle*	*one auntie*
dau wncwl	**dwy** anti	*two uncles*	*two aunties*
tri wncwl	**tair** anti	*three uncles*	*three aunties*
pedwar wncwl	**pedair** anti	*four uncles*	*four aunties*
pum wncwl	pum anti	*five uncles*	*five aunties*

2.

Sawl wncwl sy 'na?	*How many uncles are there?*
Sawl anti sy 'na?	*How many aunties are there?*
Sawl ffrind sy 'na?	*How many friends are there?*
Sawl chwaer sy 'na?	*How many sisters are there?*

Ymarfer

Ask your partner how many aunties and so on there are in the house and on the bus.

Wncwl   Anti   Ffrind   Chwaer

nodiadau

■ When counting female persons and feminine nouns, we use *dwy, tair, pedair* instead of *dau, tri, pedwar*. All other numbers stay the same, regardless of gender

■ After a number (and after the word *sawl*), we use the singular in Welsh.
Dau wncwl = Two uncles
Sawl wncwl? = How many uncles?

■ Before a noun, *pump* and *chwech* become *pum* and *chwe*.

3.

dyn	dynes	*man*	*woman*
un dyn	un **dd**ynes	*one man*	*one woman*
dau **dd**yn	dwy **dd**ynes	*two men*	*two women*
tri dyn	tair dynes	*three men*	*three women*
pedwar dyn	pedair dynes	*four men*	*four women*
pum dyn	pum dynes	*five men*	*five women*

Block 3 shows two simple rules:

1. after un, **feminine nouns** soft mutate
2. after dau / dwy, **everything** soft mutates.

 Efo'ch plentyn

Ask your child how many of each animal there are in the jungle. All these animals are masculine.

Mae tri llew yn y jyngl.

llew, mwnci, fflamingo, sebra, eliffant

4.

Sawl wncwl sy ar y bws?	*How many uncles are on the bus?*
Sawl anti sy yn y tŷ?	*How many aunties are in the house?*
Sawl llew sy yn y jyngl?	*How many lions are in the jungle?*
Sawl fflamingo sy yn y jyngl?	*How many flamingoes are in the jungle?*

71

Ymarfer

Count up to five of the items / people in the pictures. Partner 1: count afal *and* potel, *Partner 2: count* brawd *and* brechdan *and so on. Don't forget the mutations.*

> Un afal, dau afal, tri afal, pedwar afal, pum afal.
> Un botel, dwy botel, tair potel, pedair potel, pum potel.

afal   potel   brawd   brechdan

gŵr   gwraig   mwnci   dynes

ŵy   cath   dyn   diod

llew   llygoden   rhiant (parent)   rhaglen deledu

As you can see, you need to know the gender of a noun before you can count it correctly. In the vocabulary list at the end of each unit, masculine words are coloured blue, feminine ones are coloured red, to help you remember their gender.

Ynganu

Read these words aloud as clearly as you can.

ch

bachgen	brechdan
chwarae	chwech
diolch	edrych
merch	golchi

th/dd

athro	amgueddfa
benthyg	anodd
beth	blwyddyn
cath	dydd
saith	cerdded

r/rh

actor	anrheg
amser	rhaglen
ar	rhedeg
fferm	Rhiannon
araf	rhiwbob

Deialog

Mae'n amser codi.

Rhiant:	**Rhun**! Tyrd, cariad. Amser codi.
Plentyn:	Dw i wedi codi. Dw i'n **'molchi**.
Rhiant:	Iawn. Be' wyt ti isio i frecwast?
Plentyn:	Ga' i **ddwy sosej** ac un **ŵy**, plîs?
Rhiant:	Cei, wrth gwrs…
	…**Rhun**! Mae'n barod. Brysia!
Plentyn:	Dw i'n dŵad rŵan.

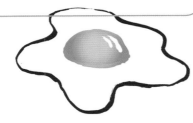

Cân Sawl wncwl sy ar y bws?

Sawl **wncwl** sy **ar y bws**? (clap, clap)
Sawl **wncwl** sy **ar y bws**? (clap, clap)
Mae **un wncwl,**
    dau wncwl,
    tri wncwl,
    pedwar wncwl,
    pum wncwl   ar y bws (clap, clap)

2. anti   yn y tŷ
3. brawd   yn y car
4. cath   ar y bwrdd
5. mwnci   yn y jyngl

Geirfa Uned 17

du	*black*
gwyn	*white*
coch	*red*
glas	*blue*
melyn	*yellow*
gwyrdd	*green*
cylch	*circle*
sgwâr	*square*
triongl	*triangle*
petryal	*rectangle*
hirgrwn	*oval*
lliw	*colour*
cownter	*counter*
awyren	*aeroplane*
cacen(nau)	*cake(s)*
cadair	*chair*
ci	*dog*
côt	*coat*
sgert	*skirt*

Pa liw ydy'r cylch?

What colour is the circle?

Themâu: siapiau a lliwiau
Themes: shapes and colours

Content:

- *shapes and what colour they are*

1.

Mae'r cylch yn **g**och	*The circle is red*
Mae'r sgwâr yn _las	*The square is blue*
Mae'r triongl yn **dd**u	*The triangle is black*
Mae'r seren yn **f**elyn	*The star is yellow*

2.

Pa liw ydy'r cylch?	*What colour is the circle?*
Pa liw ydy'r seren?	*What colour is the star?*
Pa liw ydy hwn?	*What colour is this? (masculine)*
Pa liw ydy hon?	*What colour is this? (feminine)*

3.

Pa liw wyt ti isio?	*What colour do you want?*
Pa liw mae hi isio?	*What colour does she want?*
Pa liw mae Danny isio?	*What colour does Danny want?*
Pa liw mae pawb isio?	*What colour does everybody want?*

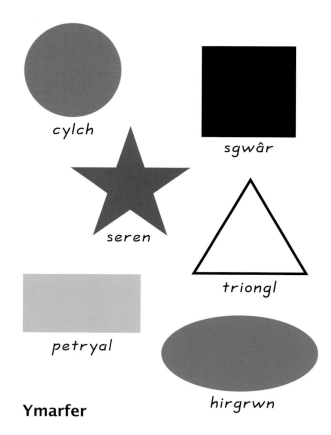

cylch

sgwâr

seren

triongl

petryal

hirgrwn

Ymarfer

Use patterns 1 and 2 to ask your partner about the shapes. Cover the page, and see if you can remember the colours.

---

nodiadau

■ We saw adjectives mutating after **yn** when we talked about the weather in Uned 13.
The same rule applies here with colours (Block 1)

■ *Pa…?* means Which…? and causes soft mutation.

| *Pa lyfr?* | Which book? |
| *Pa frechdanau?* | Which sandwiches? |

A Gêm y Lindys

- You will need a dice and 6 counters, one each of the six colours on the caterpillar.
- Throw the dice.
- If you throw a 3, put a yellow counter on 3 and so forth, until you have a counter on every segment.
- One partner throws the dice, and the other starts the dialogue.

Tri! Pa liw wyt ti isio?

Cei. Dyma ti!

Mae tri yn felyn. Ga´ i gownter melyn, plîs?

4.

car **c**och	het **g**och	*a red car*	*a red hat*
llyfr **b**rown	côt **f**rown	*a brown book*	*a brown coat*
ci **d**u	cath **dd**u	*a black dog*	*a black cat*
sgwâr **g**las	seren **l**as	*a blue square*	*a blue star*

Ymarfer

a. Say what items you can see and what colour they are, e.g. bag coch, het goch. *Mutate after feminine nouns.*

b. Get your partner to cover the page, and see how much they remember: Partner 1: **ci**   *Partner 2:* **ci gwyn**   *and so on.*

nodiadau   ■ After a feminine noun, adjectives soft mutate.
(Do not confuse this with the **yn** rule you have learnt:
all adjectives mutate after **yn**, no matter whether they
are describing something masculine or feminine.)

Deialog

Mae'r teulu'n siopa yn y dre *(in town)*

Plentyn: Edrychwch, Mami a Dadi. **Cacennau**!
Ga' i un, plîs?

Rhiant: Iawn. Rwyt ti wedi bod yn **hogan dda**.
Pa liw wyt ti isio?

Plentyn: Mmm… Ga' i un **goch**, plîs.

Rhiant: Esgusodwch fi. **Un gacen goch**,
os gwelwch chi'n dda.

 Cân Mistar Sgwâr a'i ffrindiau
Tôn: *If you're happy and you know it*

Mistar Sgwâr ydw i, ydw i
Mistar Sgwâr ydw i, ydw i
Mistar Sgwâr ydw i, yn **cerdded** un, dau, tri
Mistar Sgwâr ydw i, ydw i.

2. Mrs Cylch   rhowlio
3. Mistar Seren   dawnsio
4. Miss Triongl   neidio

Geirfa Uned 18

anifail anwes	*pet*
arth	*bear*
byji	*budgie*
ceffyl	*horse*
agoriad(au)	*key(s)*
amser sbâr	*spare time*
carafán	*caravan*
castell	*castle*
cryno-ddisg(iau)	*CD(s)*
ffôn symudol	*mobile phone*
gardd	*garden*
llong	*ship*
pres	*money*
teulu	*family*
lwcus	*lucky*
arall	*other, another, else*
felly	*so, therefore*

Mae gen i gath

I've got a cat

Themâu: y cartref, anifeiliaid anwes
Themes: home, pets

Content:

- *what people have got*
- *what people haven't got*

1.

Mae gen i gar	*I've got a car*
Mae gen i bres	*I've got money*
Mae gen i gath	*I've got a cat*
Mae gen i arth	*I've got a bear*

2.

Does gen i ddim car	*I haven't got a car*
Does gen i ddim pres	*I haven't got money*
Does gen i ddim cath	*I haven't got a cat*
Does gen i ddim arth	*I haven't got a bear*
Does gen i ddim byd	*I haven't got anything*

3.

Be' sy gen ti?	*What have you got?*
Be' sy gynnoch chi?	*What have you got?*
Be' sy gynno fo?	*What has he got?*
Be' sy gynni hi?	*What has she got?*
Be' sy gynnyn nhw?	*What have they got?*
Be' sy gan Sioned?	*What has Sioned got?*

4.

Mae gen i fyji melyn	*I've got a yellow budgie*
Mae gen i gi du	*I've got a black dog*
Does gen i ddim llong _las	*I haven't got a blue ship*
Does gen i ddim awyren lwyd	*I haven't got a grey aeroplane*

nodiadau

■ This pattern is very simple, although quite different from the equivalent pattern in English.

■ There is a 'treiglad' or letter change after this pattern e.g. *mae gen i gar*. Your tutor will practise this with you.

 **Ymarfer**

a. *Say which of the items in the picture you have got, and which you haven't.*
b. *Say what the people in the pictures have got (✔), and what they haven't (✗).*
   Then, say them again, including the colours (remember to mutate after feminine nouns).
c. *Tell your partner to cover the page. Use pattern 3 to see how much he / she can remember.*

Pa liw ydy'r ceffyl?
Wyt ti'n cofio?

Mae gan Tom a Mandi chwe anifail anwes. Felly, does gynnyn nhw ddim amser sbâr.

Does gen i ddim car, ond mae gen i feic. Dw i ddim yn hoffi gyrru.

Ymarfer

Write some sentences about what you, your children, or other family members have or haven't got. Read them out to your partner.

_____
_____
_____
_____
_____
_____
_____
_____
_____
_____

Ynganu

wy *has three possible pronunciations.*

1	2	3
ar bwys	ewythr	awyren
bwyta	gwyn	newyddion
blwyddyn	gwyntog	
dwy	gwyrdd	
pwy	newydd	
hwyl	tywydd	
ofnadwy		
twym		

yw / iw / uw *are all usually pronounced the same way.*

byw	lliw	duw
cyw	heddiw	Mr Puw
menyw	niwlog	Huw
dyw	tiwtor	buwch
yw	rhiw	uwch

Exceptions (all spelt **iw**)*:*

cwestiwn
gweithiwr
neithiwr
stadiwm
peidiwch

Deialog

Mae Ceri wedi bod yn siopa efo Nain a Taid.

Rhiant:	Helo, cariad. Be' gest ti, 'ta?
Plentyn:	Edrycha, **Mami**! Mae gen i **gêm** newydd.
Rhiant:	Wel, dyna hyfryd. Lle cest ti **hi**?
Plentyn:	Yn **WH Smith**.
Rhiant:	Dyna **hogyn** lwcus. Be' arall gest ti?
Plentyn:	**Set Lego**. Mae gen i **dair set Lego** rŵan!
Rhiant:	Diolch yn fawr iawn i chi, Nain a Taid.

 Cân Be' sy gan Jeni?

Be' sy gan Jeni?	Mae gynni hi **fyji**.
Be' sy gan Joni?	Mae gynno fo **geffyl**.
Be' sy gan Mari?	Mae gynni hi **bysgod**.
Be' sy gan Hari?	Does gynno fo ddim byd.

2. brechdan   afal   cacen
3. blociau   jigso   llithren

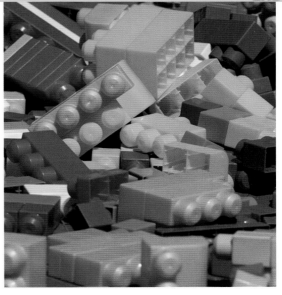

Geirfa Uned 19

cefnder	*male cousin*
cyfnither	*female cousin*
hogan	*daughter*
hogyn	*son*
perthynas	*relative*
perthnasau	*relatives*
dosbarth	*class*
crempogen	*pancake*
crempog	*pancakes*
llawer	*a lot, many*
ychydig	*a little*
gormod	*too much*
Faint o…?	*How much/many…?*
adre	*home(wards)*
ar ôl	*left, remaining*

Banc anifeiliaid

Animal bank

This list is for you to dip into as and when needed. There's no need to memorise these words at this stage.

Cymraeg	Saesneg	Cymraeg	Saesneg	Cymraeg	Saesneg
aderyn	*bird*	eliffant	*elephant*	oen	*lamb*
aderyn du	*blackbird*	eog	*salmon*	panda	*panda*
arth	*bear*	eryr	*eagle*	parot	*parrot*
asyn	*donkey*	fflamingo	*flamingo*	paun	*peacock*
blaidd	*wolf*	gafr	*goat*	penbwl	*tadpole*
bochdew	*hamster*	gorila	*gorilla*	pengwin	*penguin*
broga	*frog*	gwdihŵ, tylluan	*owl*	pry cop(yn), corryn	*spider*
buwch	*cow*	gwenynen	*bee*	pysgodyn aur	*goldfish*
buwch goch gota	*ladybird*	gwiwer	*squirrel*	rheinoseros	*rhinoceros*
byji, bwji	*budgie*	gŵydd	*goose*	robin goch	*robin*
camel	*camel*	gwylan	*seagull*	sebra	*zebra*
cangarŵ	*kangaroo*	hipopotamws	*hippopotamus*	seren fôr	*starfish*
carw	*deer*	hwyaden	*duck*	siani flewog, lindys	*caterpillar*
cath	*cat*	iâr	*hen*	siarc, morgi	*shark*
cath fach	*kitten*	iâr fach yr haf, pili pala	*butterfly*	slefren fôr	*jellyfish*
ceffyl	*horse*	jac-y-do	*jackdaw*	tarw	*bull*
ceiliog	*cockerel*	jerbil	*gerbil*	teigr	*tiger*
ci	*dog*	jiraff	*giraffe*	tsimpansî	*chimpanzee*
ci bach	*puppy*	llew	*lion*	twrch daear	*mole*
cleren	*fly*	llewpart	*leopard*	twrci	*turkey*
cranc	*crab*	llwynog, cadno	*fox*	ysgyfarnog (sgwarnog)	*hare*
crocodeil	*crocodile*	llyffant	*toad*	ystlum	*bat*
crwban	*tortoise*	llygoden	*mouse*		
crwban y môr	*turtle*	llygoden fawr	*rat*		
cwningen	*rabbit*	malwen, malwoden	*snail*		
cyw	*chick*	mochyn	*pig*		
dafad	*sheep*	mochyn cwta	*guinea pig*		
deinosor	*dinosaur*	morfil	*whale*		
dolffin	*dolphin*	morgrugyn	*ant*		
draenog	*hedgehog*	mwnci	*monkey*		
draig	*dragon*	mwydyn	*earthworm*		
dwrgi, dyfrgi	*otter*	neidr	*snake*		
		octopws	*octopus*		

Anagramau

Beth yw'r rhain?

cwnbar _____	fyltlanf _____	ewrwig _____	gwennnci _____
honcym _____	lynalut _____	agrid _____	reesn ôrf _____ ____
fondlif _____	tafenlif _____	mofanglif _____	feclyf _____
trellapw _____	scootpw _____	ennigpw _____	blenpw _____
dragone _____	dolglyne _____	neygnwne _____	sdoorine _____

Darllen: Mynd am dro i'r parc

Mae Sali'n mynd i'r parc efo Mam a Sgamp y ci. Mae hi'n hoffi anifeiliaid yn fawr iawn. Yn y parc, maen nhw'n gweld Leighton, ffrind o America. Mae Leighton yn siarad Cymraeg yn dda.

"Helo, Leighton! Sut wyt ti?"
"Da iawn, diolch! Dw i wedi bod yn America. Sut dach chi? A be' gest ti i Nadolig, Sali?"
"Ci! Dyma Sgamp. Sgamp, dwêd 'helo' wrth Leighton!"
"Bow, wow!"

Mae Mam yn gofyn cwestiynau i Leighton.
"Be' wnest ti yn America? Gest ti amser da?"
"Ffantastig, diolch yn fawr. Mae Amanda, fy chwaer, wedi cael babi!"

Yn y parc, mae tŷ botanegol, ac mae tanciau pysgod ac adar egsotig yno.
Mae Sali isio mynd i mewn. Mae ei mam a Leighton yn mynd efo hi.

"Edrychwch, Mami a Leighton! Dw i'n gweld tri aderyn melyn!"

"Wyt, wir. A be' ydy hwn? Cactws! AW!"

Mae'r tri yn cerdded o gwmpas y tŷ botanegol. Maen nhw'n gweld pedwar pysgodyn pirhana mewn tanc, a dau fwnci brown mewn caets.

Mae hi'n oer heddiw, ond yn y tŷ botanegol, mae hi'n dwym ofnadwy.
Dydy Sgamp ddim yn hapus, ac maen nhw'n mynd allan eto. Yn ymyl y tŷ botanegol, mae caffi, ac mae'r tri yn mynd i mewn. Mae Mam a Leighton yn cael panad, a Sali'n cael lemonêd. Mae Sgamp yn cael dŵr, ac mae o'n hapus eto rŵan.

Maen nhw'n siarad am anifeiliaid anwes.

"Leighton, mae gen i gi, dwy gath, a byji. Oes gynnoch chi anifail anwes?"
"Oes. Mae gen i un gath frown o'r enw Jemimah. Pa liw ydy'r byji?"
"Mae o'n las. Nadolig nesa, dw i isio arth ddu."
"Arth ddu?! Dim diolch yn fawr…"

Gwybodaeth ddefnyddiol
Useful information

Mudiad Meithrin
Welsh early years specialists.
Mudiad Meithrin is a voluntary organisation. It aims to give every young child in Wales the opportunity to benefit from early years services and experiences through the medium of Welsh. This aim is the basis of each of the Mudiad's provisions, which includes:

- *cylchoedd Ti a Fi*
- *cylchoedd meithrin*
- *cylchoedd meithrin / Ti a Fi (combined groups)*
- *wraparound care*
- *day nurseries*
- *integrated centres.*

Oes gen ti frawd?

Have you got a brother?

Themâu: y teulu, bwyd a diod
Themes: family, food and drink

Content:

- *asking have you got...?*
- *asking how many...?*
- *asking how much...?*

2.

Mae gen i un plentyn	*I've got one child*
Mae gen i ddau o blant	*I've got two children*
Mae gen i dri o blant	*I've got three children*
Mae gen i bedwar o blant	*I've got four children*
Mae pedwar o blant yn y dosbarth	*There are four children in the class*
Mae pedwar o blant yn y car	*There are four children in the car*

1.

Oes gen ti frawd?	*Have you got a brother?*
Oes gen ti chwaer?	*Have you got a sister?*
Oes gynnoch chi ewythr?	*Have you got an uncle?*
Oes gynnoch chi fodryb?	*Have you got an aunt?*
Oes / Nac oes	*Yes / No*

3.

Faint o blant sy gen ti / gynnoch chi?	*How many children have you got?*
Faint o blant sy gan Mr Jones?	*How many children has Mr Jones got?*
Faint o blant sy yn y dosbarth?	*How many children are in the class?*
Faint o blant sy yn y car?	*How many children are in the car?*

---

nodiadau

■ We have now covered all three parts of the *gan* pattern:

Mae gen i ... (treiglad)	(positive)
Does gen i ddim ... (no treiglad)	(negative)
Oes gen ti...? (treiglad)	(question)

■ There are two ways of asking *How many...?* in Welsh:

***Sawl* + singular**	***Faint o* + plural (soft mutation)**
How many?	How many? *or* How much?
Sawl plentyn?	Faint o blant?
Sawl brechdan?	Faint o frechdanau?
~~Sawl pres?~~	Faint o bres?

■ Sometimes you will see *'na* if the following word is indefinite e.g. *mae 'na blant yna*

Ymarfer

a. Talk about the families below, using patterns 1-3.

 b. Ask other people in the class about their families, relatives and pets. Fill in the grid.

enw	plant, perthnasau	anifeiliaid anwes
Olivia	un hogyn, un hogan, dau ewythr	dim byd

4.

Mae gan Catrin ychydig o fwyd	*Catrin has got a little food*
Mae gan Darren ddigon o fwyd	*Darren has got enough food*
Mae gan Midori lawer o fwyd	*Midori has got a lot of food*
Mae gan Colin ormod o fwyd	*Colin has got too much food*
Faint o fwyd sy gan Gareth?	*How much food has Gareth got?*

Faint o sglodion sy gan Padrig?

Mae gynno fo lawer o sglodion.

Ymarfer

Talk about how much food the people in the pictures have got.

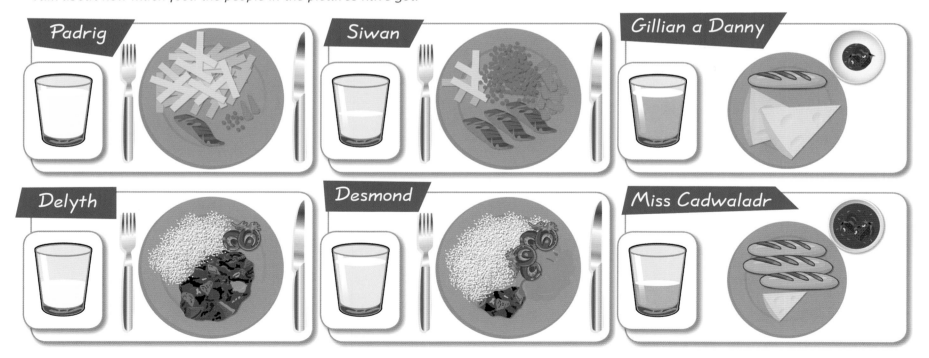

Deialog

Mae Mam (neu Dad) yn dŵad adre o'r gwaith.

Rhiant:	Helo, bawb. Dw i wedi blino. Oes **cacen** i fi?
Plentyn:	Nac oes, sori. Does dim **cacen** ar ôl.
Rhiant:	Oes **crempog** i fi, 'ta?
Plentyn:	Nac oes, sori. Does dim **crempog** ar ôl.
Rhiant:	Wel, be' sy ar ôl?
Plentyn:	Dim byd, sori. Does dim byd ar ôl.
Rhiant:	Dim byd o gwbl? O!

 Cân Faint o blant sy gynnoch chi?
Tôn: *Bing Bong*

Faint o blant sy gynnoch chi?	Faint o blant sy gynnoch chi?
Mae gen i un plentyn.	Mae gen i un plentyn.
Cytgan *(Chorus)*:	
Bing bong a-bing bong be	Bing bong a-bing bong be
Bing bong a-bing bong be	Bing bong a-bing bong be

2. gynno fo   dau o blant
3. gynni hi   tri o blant
4. yn y tŷ   deg o blant

Geirfa Uned 20

cylchgrawn, cylchgronau	*magazine(s)*
rhywbeth	*something*
pobl	*people*
y rhain	*these*
cyrraedd	*to reach, to arrive in*
gobeithio	*to hope*
gwybod	*to know*
medru	*can, to be able to*
bach	*small, little*
mawr	*large, big*
hen	*old*
ifanc	*young*
bob blwyddyn	*every year*
bob dydd	*every day*
ers 2007	*since 2007*
o'r blaen	*before, previously*
os	*if*
Diolch o galon	*Thank you so much (from the heart)*

Eisteddfod yr Urdd

the Urdd Eisteddfod

Themâu: gwyliau a dathliadau
Themes: festivals and celebrations

Content:

- *the Urdd Eisteddfod. This large youth festival moves around Wales from year to year, taking place in the summer half term break.*

 Pwy sy'n mynd i'r Eisteddfod, a be' maen nhw'n wneud? Darllen efo'ch plentyn

Dan ni'n dawnsio yn y Pafiliwn dydd Mawrth, ac ar y Llwyfan* Perfformio dydd Gwener. Dan ni'n dŵad i Eisteddfod yr Urdd bob blwyddyn ers 2007. Dan ni isio ennill, wrth gwrs, ond dan ni ddim yn ddiflas os dan ni ddim yn ennill. Mae Mam a Dad yn hoffi ein gweld ni ar S4/C! Dydyn nhw ddim yn medru dŵad i'r Eisteddfod, achos mae gynnyn nhw bedwar ci, dwy gath a byji.

Phil, Sam ac Olivia ydan ni. Dan ni'n dysgu Cymraeg ym Mhen-y-bont. Mae'r Eisteddfod yn hwyl fawr, a dan ni wedi gwneud ffrindiau newydd yma.

Dan ni'n stiwardio yn y Pafiliwn, ac mae llawer o bobl yn siarad Cymraeg efo ni! Dan ni'n blino, ond mae'r Eisteddfod yn help mawr i ddysgu Cymraeg. Dan ni'n aros mewn gwely a brecwast ac yn cael amser hyfryd, wir.

Mae Mared a Rhys yn hoffi mynd i'r Ffair a'r Ardal Chwarae, a gweld Mistar Urdd a Sali Mali. Maen nhw'n fach iawn, a dydyn nhw ddim yn hoffi mynd i'r pafiliwn, ond maen nhw'n hoffi gwrando ar y perfformiadau ar y Maes. Maen nhw isio bwyta *chips*, fferins a hufen iâ bob dydd. Dan ni'n aros mewn carafán ar y maes carafannau.

Nain Gethin ac Anwen dw i. Maen nhw'n cystadlu* efo'r côr, ac maen nhw'n gobeithio cyrraedd y llwyfan. Dw i ddim yn cystadlu, wrth gwrs – dw i'n hen iawn! Ond dw i'n hoffi gwrando ar y canu ac edrych ar y dawnsio, a dw i'n gweld llawer o hen ffrindiau. Dw i'n hoffi cerdded o gwmpas y maes hefyd, a gwneud ychydig o siopa – os dw i'n gweld rhywbeth dw i'n ffansïo!

* llwyfan - *stage*   cystadlu - *to compete*

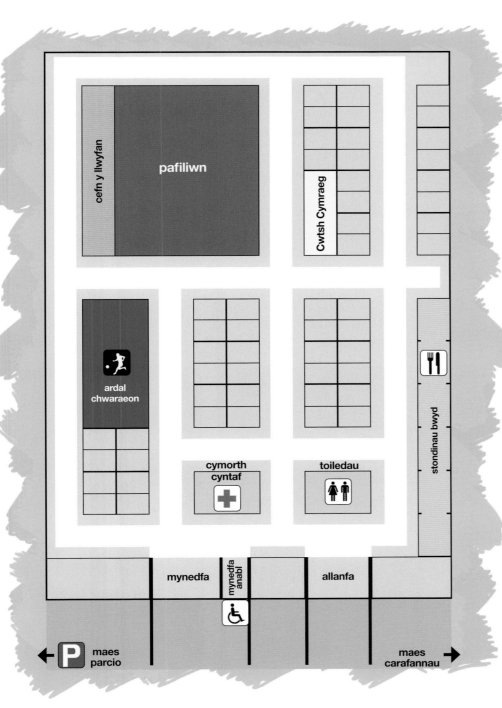

Y Maes *The Field*

a. Look at the plan.

Be' ydy'r rhain yn Gymraeg?
first aid, disabled entrance, backstage, exit, food stalls

b. You are going to the Urdd Eisteddfod today with some other parents. Have a conversation with them, using the following as a guide:

> Dach chi wedi bod yn yr Eisteddfod o'r blaen?
> Lle dach chi isio mynd ar y maes?
> Be' dach chi isio wneud?
> Be' mae'r plant isio wneud?
> Be' dach chi isio i fwyta? Ac i yfed?
> Be' dach chi isio brynu?
> Dach chi'n gwybod lle mae'r Cwtsh Cymraeg?

Ymadroddion defnyddiol	Useful phrases
Dach chi'n siarad Cymraeg?	Do you speak Welsh?
Dach chi'n cystadlu?	Are you competing?
Maen nhw'n dda, tydyn!	They're good, aren't they!
Chwarae teg	Fair play / Well done
Dim ots. Tro nesa	Never mind. Next time
Gwnest ti'n dda, cariad	You did well, love
Pob hwyl	Good luck / all the best
Llongyfarchiadau!	Congratulations!

Try creating some dialogues with your partner, using these phrases.

Be' arall sy yn yr Eisteddfod?

Match the titles to the photos. (Start with the easy ones.)

○ cystadlaethau canu
○ drama
○ cerddoriaeth fyw
○ arddangosfa celf a chrefft
○ wal ddringo
○ pwll canŵio
○ peintio wynebau
○ ffair
○ trên bach

Drama
ydy rhif dau.

1

Be' arall mae'r Urdd yn wneud?

■ Mae **Clybiau'r Urdd** i gael dros Gymru

■ Mae 50,000 o bobl ifanc yn aelodau *(members)*, a 30% yn ddysgwyr

■ Mae plant yn aros yn y **Gwersylloedd** *(camps)* yn **Llangrannog**, **Canolfan y Mileniwm**, **Caerdydd** a **Glan-llyn** yn ymyl y Bala

■ Mae'r Urdd yn trefnu *(to arrange)* **tîmau a gemau chwaraeon**: rygbi, nofio, pêl-droed, gymnasteg, ac athletau

■ Mae storïau diddorol yn y **cylchgronau Cip**, **iaw!** a **Bore Da**

Am wybodaeth bellach *(further information)*: www.urdd.org

2

3

4

5

6

7

8

9

Deialog

**Mae Taid isio gweld y
rhagbrawf** (preliminary round) **dawns.**

Stiward:	Helo 'na. Dach chi isio help?
Taid:	Oes, os gwelwch chi'n dda. Lle mae'r rhagbrawf **dawns**?
Stiward:	Yn ystafell **pump**. Ydy'r plant yn cystadlu?
Taid:	Nac ydyn, ond dan ni isio gwylio.
Stiward:	Dim problem o gwbl. Ewch i mewn.
Taid:	Diolch o galon i chi.
Stiward:	Pleser. Hwyl fawr.

 Cân Aderyn melyn

Aderyn melyn i fyny yn y goeden fanana, banana.
Aderyn melyn i fyny yn y goeden fanana.

Cytgan
Paid â mynd i ffwrdd,
Paid â fflio i ffwrdd,
Paid â mynd i ffwrdd,
Paid â fflio i ffwrdd,
Paid â mynd i ffwrdd,
Paid â mynd i ffwrdd,
Paid â mynd i ffwrdd nawr,
Ww, 3,2,1, Cha Cha Cha.

Aderyn coch i fyny yn y goeden domato, tomato.
Aderyn coch i fyny yn y goeden domato.   **Cytgan**

Aderyn brown i fyny yn y goeden siocled, siocled.
Aderyn brown i fyny yn y goeden siocled.   **Cytgan**

Geirfa Uned 21

atig	*attic*
brwsh(**ys**) paent	*paintbrush(es)*
cardigan	*cardigan*
crys(**au**) T	*t-shirt(s)*
gitâr	*guitar*
oergell	*refrigerator*
papur(**au**) newydd	*newspaper(s)*
poced	*pocket*
raced dennis	*tennis racket*
racedi tennis	*tennis rackets*
sbectol haul	*sunglasses*
sied	*shed*
gwell	*better*
perffaith	*perfect*

uned 15
1. Mae **jigso yn y bocs**
2. Be' sy **ar y bocs**?
3. Ydy'r **Lego yn y drôr**?   Ydy / Nac ydy
4. Rho'r **Lego yn y drôr**, plîs

uned 16
1. un wncwl, dau wncwl, tri wncwl,
   pedwar wncwl, pum wncwl
   un anti, dwy anti, tair anti,
   pedair anti, pum anti
2. Sawl **wncwl** sy 'na?
3. un dyn, dau **dd**yn, tri dyn, pedwar dyn, pum dyn
   un **dd**ynes, dwy **dd**ynes, tair dynes, pedair dynes,
   pum dynes
4. Sawl **llew sy yn y jyngl**?

uned 17
1. Mae'r **cylch** yn **g**och   (Treiglad Meddal)
2. Pa liw ydy'r **sgwâr**?
3. Pa liw **wyt t**i isio?
4. car **c**och   het **g**och

uned 18
1. Mae gen i **gar**
2. Does gen i ddim **pres**
3. Be' sy gen **ti** / gynnoch **chi?**
4. Mae gen i **fyji melyn**

uned 19
1. Oes gen ti **frawd**?   Oes / Nac oes
   Oes gynnoch chi **frawd**?   Oes / Nac oes
2. Mae gen i **ddau** o blant
3. Faint o blant sy gen **ti** / gynnoch **chi?**
4. Mae gan Catrin **ychydig** o **fwyd**

uned 20
(Eisteddfod yr Urdd – dim patrymau newydd)

Gweithgareddau Adolygu

uned 15
Glanhau'r Tŷ *Spring Cleaning*

You and your child are moving some items to store elsewhere. Ask your child what is stored in various locations, and tell him / her to put it somewhere else.

> Be' sy yn y drôr?

> Mae Lego yn y drôr.

> Rho'r Lego yn y bocs, plîs

> Dyna ni.

Lle?

cwpwrdd	bocs	o dan y gwely
yn ymyl y drws	bag	bin sbwriel
sied	atig	silff

Be'?

cardigan las	crysau T	brwshys paent
papurau newydd	ffotos	sbectol haul
racedi tennis	gemau bwrdd	gitâr

> Dyna well!

> Perffaith!

uned 16
Count up to six of these people/items.

athro   athrawes   beic   bisged

drws   doli   gwely   gardd

mecanic   nain   ysbyty   theatr

Gwaith newydd

After tri, *masculine nouns need an Aspirate Mutation (*Treiglad Llaes*). This is very easy: only three letters mutate (p, t, c). Just add* h *after these letters.*

Pysgodyn	→	tri **ph**ysgodyn
Tŷ	→	tri **th**ŷ
Car	→	tri **ch**ar

Try counting these up to six:

plentyn, plismon, pwdin	tad, trên, teulu	camera, castell, ci
plismones, pêl	cacen	cyfnither, côt, cadair

uned 17
Siapiau, rhifo a lliwiau

Oes triongl yn y bocs?

Sawl un sy 'na?

Pa liw ydyn nhw?

Oes

Pedwar triongl.

Maen nhw'n wyrdd.

Partner 1:
Cover the box below. Ask Partner 2
the above questions about the six shapes you have
learnt. Draw the relevant items on a piece of paper.

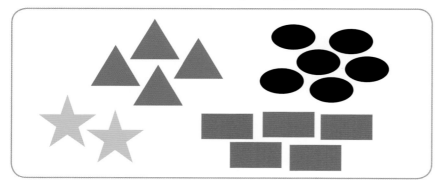

Partner 2:
Cover the box below. Ask the questions about: doli, llyfr, cath,
pysgodyn, pêl rygbi, het. *Draw the relevant items on a piece of paper.*

uned 18-19
a. List all the vocabulary you have learnt relating to family
   members and relatives.

_____ _____ _____
_____ _____ _____
_____ _____ _____

b. Ask your partner if they have a brother, sister, cousin, aunt,
   uncle and children. If so, ask how many. Make notes below.

_____
_____
_____

c. Find a new partner, and tell them what you have found out.
d. Find out what car and what mobile phone your partner has (use **Pa...?**).
e. Find out how much (or how many) spare time, toys, friends,
   food, clothes and shoes your partner has. Use **llawer, ychydig,
   gormod, digon** in your answers.

Geirfa Uned 22

Cymru	Wales	llysieuwr /	vegetarian
Ffrainc	France	llysieuwraig	
Iwerddon	Ireland		
Lloegr	England	bwyta allan	to eat out
y Swistir	Switzerland	casáu	to hate
yr Alban	Scotland	tyfu	to grow
yr Almaen	Germany		
yr Eidal	Italy	drud	expensive
gwlad	country	iach	healthy
rhif	number		
archfarchnad	supermarket	yn aml	often
cnau coco	coconuts	yn wreiddiol	originally

dechrau →

Be' sy yn eich oergell chi?	Give three instructions to put things away.	Be' ydy What's on telly tonight yn Gymraeg?	Count up to five sons and five daughters.	Sawl person sy yn y dosbarth?	Be' ydy There are two lions in the jungle yn Gymraeg?
Be' dach chi'n medru wneud yn yr Eisteddfod?					Name six colours and six shapes yn Gymraeg.
Dach chi'n mynd i'r Eisteddfod nesa?		**Trac adolygu**			Pa liw wyt ti'n hoffi?
Dach chi wedi bod yn Eisteddfod yr Urdd?					Be' ydy black dog, black cat, red car, red hat yn Gymraeg?
Faint o bobl sy yn eich teulu chi?	Oes gan eich plentyn gyfrifiadur?	Oes gen ti anifail anwes?	Say three things you have in your house, and three things you don't.	Be' ydy I haven't got anything yn Gymraeg?	Be' sy gynnoch chi yn eich bag (neu yn eich poced)?

Mae coffi'n dŵad o Frasil

Coffee comes from Brazil

Themâu: gwledydd, bwyd a diod
Themes: countries, food and drink

Content:

- *countries*
- *their produce*
- *where people come from*

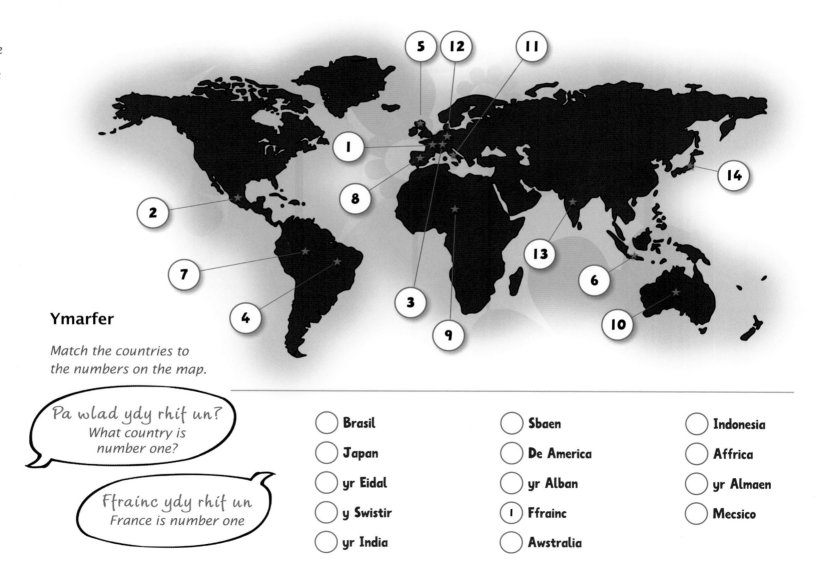

Ymarfer

Match the countries to the numbers on the map.

Pa wlad ydy rhif un?
What country is number one?

Ffrainc ydy rhif un
France is number one

- ◯ Brasil
- ◯ Japan
- ◯ yr Eidal
- ◯ y Swistir
- ◯ yr India

- ◯ Sbaen
- ◯ De America
- ◯ yr Alban
- ① Ffrainc
- ◯ Awstralia

- ◯ Indonesia
- ◯ Affrica
- ◯ yr Almaen
- ◯ Mecsico

1.

Mae coffi'n dŵad o Frasil	*Coffee comes from Brazil*
Mae bananas yn dŵad o Dde America	*Bananas come from South America*
Mae nwdls yn dŵad o Japan	*Noodles come from Japan*
Mae reis yn dŵad o'r India	*Rice comes from India*

2.

O le mae te'n dŵad?	*Where does tea come from?*
O le mae orennau'n dŵad?	*Where do oranges come from?*
O le mae cnau coco'n dŵad?	*Where do coconuts come from?*
O le mae afocados yn dŵad?	*Where do avocados come from?*

 Efo'ch plentyn

Use patterns 1 and 2 to discuss with your child where the produce in the pictures comes from.

Sgwrsio

■ Be' dach chi'n hoffi ei fwyta ac yfed? Be' dach chi ddim yn hoffi?

■ Pwy sy'n coginio yn eich tŷ chi? Be' dach chi'n medru ei goginio?

■ Dach chi'n hoffi prynu bwyd? Lle dach chi'n siopa am fwyd: mewn siopau bach? yn yr archfarchnad? mewn marchnad neu siop fferm?

■ Dach chi'n prynu bwyd Masnach Deg *(Fair Trade)*?

■ Dach chi'n tyfu bwyd yn yr ardd?

■ Dach chi'n bwyta allan yn aml? Lle dach chi'n hoffi mynd?

■ Dach chi'n hoffi rhaglenni coginio ar y teledu? Pwy dach chi'n hoffi?

■ Dach chi'n bwyta cig, neu dach chi'n llysieuwr(aig)? Dach chi'n bwyta'n iach?

3.

Dw i'n dŵad o Bontardawe	*I come from Pontardawe*
Rwyt ti'n dŵad o Dongwynlais	*You come from Tongwynlais*
Mae Terry'n dŵad o Gaerdydd	*Terry comes from Cardiff*
Mae pawb yn dŵad o'r Fenni	*Everybody comes from Abergavenny*

4.

O le wyt ti'n dŵad?	*Where do you come from?*
O le mae'r tiwtor yn dŵad?	*Where does the tutor come from?*
O le maen nhw'n dŵad?	*Where do they come from?*
O le dach chi'n dŵad yn wreiddiol?	*Where do you come from originally?*

Ymarfer

a. Work with a partner. Ask each other where you're from. Use the places listed below.

b. Find out where five other people in the class come from originally, and fill in the grid.

enw	dŵad o
Meri Ann	Llanelli

Pentre'r Eglwys
Porthaethwy
Trebanog
Tregroes
Corwen
Caeredin
Bryste
Blaengarw
Dinbych-y-Pysgod
Dyfnaint

Gwent
Glastonbury
Llangynwyd
Llundain
Merthyr
Manceinion
Rhaeadr Gwy
Rhyd-y-groes
Y Trallwng

Deialog

Mae Dad (neu Mam) ac Alex yn ASDA.
Dydyn nhw ddim yn hoffi siopa am fwyd.

Alex: O, na! Dim **afocado**! Dw i'n casáu **afocado**.

Rhiant: Tyrd! Mae **o**'n dda i ti.

Alex: Nac ydy, ddim. Ych!

Rhiant: Wyt ti'n gwybod o le mae **afocados** yn dŵad?

Alex: Ydw, wrth gwrs. O ASDA.

Rhiant: ASDA, wir. **Maen nhw**'n dŵad o **Dde America**.

Alex: **Ydyn nhw**, wir? Mewn awyren?

Rhiant: **Ydyn**. Dyna pam **maen nhw**'n ddrud.

 Cân O le mae te'n dŵad?

O le mae **te'n** dŵad? O le mae **te'n** dŵad?
O le mae **o'n** dŵad?
Mae **o'n** dŵad o **Frasil,** dŵad o **Frasil**, dŵad o **Frasil**.

2. gwin   Ffrainc
3. orennau   Affrica
4. coffi   De America

Geirfa Uned 23

amgueddfa	museum
banc	bank
caffi	café
llyfrgell	library
pwll nofio	swimming pool
sinema	cinema
bale	ballet
sioe gerdd	a musical
gwyliau	holidays
penwythnos	weekend
(yr) wythnos nesa(f)	next week
dros	over
ar ôl	after
gwych	great
mynd i'r gwaith	to go to work
mwynhau	to enjoy

Lle wyt ti'n mynd?

Where are you going?

Themâu: y dre, hamdden, teithio
Themes: town, leisure, travel

Content:

- *going to places in town*
- *going to cities and towns*

1.

Dw i'n mynd i'r ysgol rŵan	*I'm going to school now*
Rwyt ti'n mynd i'r gwely rŵan	*You're going to bed now*
Mae hi'n mynd i'r sioe gerdd rŵan	*She's going to the musical now*
Mae o'n mynd i'r bingo rŵan	*He's going to the bingo now*
Wyt ti'n mynd i'r gwaith rŵan?	*Are you going to work now?*
Ydw / Nac ydw	*Yes, I am / No, I'm not*

2.

Lle wyt ti'n mynd fory?	*Where are you going tomorrow?*
Lle dach chi'n mynd yr wythnos nesa?	*Where are you going next week?*
Lle mae o'n mynd dros y penwythnos?	*Where is he going over the weekend?*
Lle mae hi'n mynd dros y gwyliau?	*Where is she going over the holidays?*

nodiadau   ■ In English, *the* is omitted in phrases such as *going to school, to work, to bed, to town*. In Welsh, *the* is always included: **mynd i'r ysgol** and so on.

Ymarfer

a. *Say four places you are going to, and four places you are not. Say when you are/are not going.*

b. *Choose a picture. Your partner must ask questions to find out where you're going (pattern 1).*

c. *Talk about which places you enjoy going to, and which you don't.*

Dw i'n mwynhau mynd i'r sinema yn fawr.

Dw i ddim yn mwynhau mynd i'r gwaith o gwbl.

Wyt ti'n mwynhau mynd i'r parc?

3.

Dan ni'n mynd i Bontypridd	*We're going to Pontypridd*
Dan ni ddim yn mynd i Dre-saith	*We're not going to Tre-saith*
Maen nhw'n mynd i Gaerfyrddin	*They're going to Carmarthen*
Dydyn nhw ddim yn mynd i Fargoed	*They're not going to Bargoed*

4.

Wyt ti'n mynd i Lwynypïa?	*Are you going to Llwynypïa?*
Dach chi'n mynd i Langyfelach?	*Are you going to Llangyfelach?*
Ydy o'n mynd i Faesteg?	*Is he going to Maesteg?*
Ydy hi'n mynd i Rydaman?	*Is she going to Ammanford?*

 Ymarfer

Ask some of the others in the class which places on the map they are going to.
Fill in the grid.

enw			
yfory			
dros y penwythnos			
dros y gwyliau			
yr wythnos nesa			

When you have finished, tell your partner about some of the others' plans.

Deialog

Ar ôl ysgol

Rhiant:	**Rhun**, rwyt ti'n mynd i'r **bale** ar ôl ysgol.
Plentyn:	O, na! Dw i ddim yn mwynhau **bale** o gwbl. Mae o'n ddiflas.
Rhiant:	**Hedd**, rwyt ti'n mynd i **jiwdo** ar ôl ysgol.
Plentyn:	O, bril! Dw i'n mwynhau **jiwdo** yn fawr. Mae o'n wych!

 Cân Mynd drot drot

Mynd drot drot ar y gaseg wen,
Mynd drot drot i'r dre.
Mam yn dod 'nôl dros fryn a dôl
A rhywbeth neis neis i de!

Teisen i Sil, banana i Bil
A rhywbeth i'r gath a'r ci.
Afal mawr iach i Ben y gwas bach
A rhywbeth neis neis i fi!

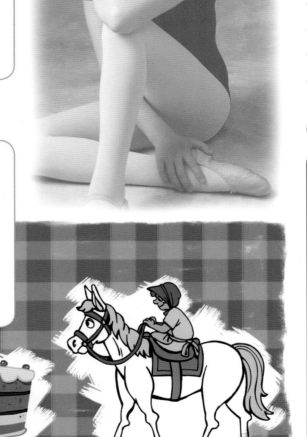

Geirfa Uned 24

anghenfil	*monster*
crys	*shirt*
ffrog	*frock*
lein ddillad	*clothes line*
llawr	*floor*
pêl, peli	*ball, balls*
siwmper	*jumper*
cegin	*kitchen*
ystafell haul	*conservatory*
ystafell 'molchi	*bathroom*
lolfa	*living room*
reit	*right, fine*
meddwl	*to think*
pigo	*to pick, to sting*

Radio pwy ydy hwnna?

Whose radio is that?

Themâu: y cartref, y teulu
Themes: home, family

Content:

- what belongs to whom
- who is related to whom

1.

Radio **Anwen** ydy hwnna	*That's Anwen's radio*
Bocs **Paul** ydy hwnna	*That's Paul's box*
Siwmper **Tony** ydy honna	*That's Tony's jumper*
Het **Rhian** ydy honna	*That's Rhian's hat*

2.

Bocs **pwy** ydy hwnna?	*Whose box is that?*
Crys **pwy** ydy hwnna?	*Whose shirt is that?*
Ffrog **pwy** ydy honna?	*Whose frock is that?*
Pêl **pwy** ydy honna?	*Whose ball is that?*

Ymarfer

a. Talk about who the items pictured belong to, using patterns 1 and 2.
b. Talk about where the various people are, and what they're doing.

siwmper
Tony

radio
Anwen

het
Paul

bocs
Sheila

ffrog
Rhian

crys
Aron

pêl
Pero

cylchgrawn
Aron

côt
Sheila

crys T
Rob

gitâr
Tony

ffôn symudol
Mrs Jones

3. Teulu Mrs Jones: pwy ydy pwy?

Brawd Mrs Jones ydy Paul   *Paul is Mrs Jones' brother*

Chwaer Mrs Jones ydy Sheila   *Sheila is Mrs Jones' sister*

Gŵr Mrs Jones ydy Rob   *Rob is Mrs Jones' husband*

Mam Mrs Jones ydy Anwen   *Anwen is Mrs Jones' mother*

Pwy ydy Paul?   *Who's Paul?*

Cadi   Jason   Gruff   Anita   Dewi   Paul   Mali   Calon

 Tony

 Anwen

 Paul

 Sheila

 Rhian

 Aron

 Rob

 Pero

 Mrs Jones

4.

Tad Mari ydy hwnna   *That's Mari's father*

Taid Rhisiart ydy hwnna   *That's Rhisiart's grandfather*

Mam Toby ydy honna   *That's Toby's mother*

Nain Seren ydy honna   *That's Seren's grandmother*

5.

Tad pwy ydy hwnna?   *Whose father is that?*

Mam pwy ydy honna?   *Whose mother is that?*

Taid pwy ydy Terry?   *Whose grandfather is Terry?*

Nain pwy ydy Olivia?   *Whose grandmother is Olivia?*

Ymarfer

Work out who the adults in the picture are, using patterns 4 and 5.

Deialog

Mae'r plant wedi bod yn chwarae.
Mae'n amser tacluso rŵan.

Rhiant: **Gêm** pwy ydy **honna** ar y llawr?

Plentyn: Un **Glyn**, dw i'n meddwl.

Rhiant: Iawn. Rho **hi** yn stafell **Glyn** 'ta, plîs.

Plentyn: Reit. ...O! Be' ydy hwnna, **Dad**?

Rhiant: Dw i ddim yn gwybod be' ydy hwnna!

Pawb: Aaaaaa! Rhedwch, bawb!

 Cân Siwmper pwy ydy honna?

Siwmper pwy ydy **honna**? **Siwmper** pwy ydy **honna**?
Dw i ddim yn gwybod **siwmper** pwy ydy hi!
Siwmper pwy ydy honna? **Siwmper** pwy ydy **honna**?
Dw i ddim yn gwybod **siwmper** pwy ydy **hi**!

2. radio
3. mam
4. brawd
5. brechdan

Geirfa Uned 25

gwisg ysgol	*school uniform*
trwyn	*nose*
tro	*turn (in a game or on road)*
gwallt	*hair*
trowsus	*trousers*
maneg, menig	*glove, gloves*
wyneb(au)	*face(s)*
problem(au)	*problem(s)*
llaw, dwylo	*hand, hands*
pyjamas	*pyjamas*
sgarff(iau)	*scarf, scarves*
anghofio	*to forget*
brwsio	*to brush*
cyfri(f)	*to count*
caru	*to love*
galw	*to call*
pacio	*to pack*
sychu	*to dry, to wipe*
popeth yn iawn	*no problem (everything's fine)*

Dyma dy gôt di

Here's your coat

Themâu: y cartref, dillad
Themes: home, clothes

Content:

- saying 'your'
  (the possessive)

1.

Dyma dy **g**ôt di	Dyma eich **c**ôt chi	*Here's your coat*
Dyma dy **d**rowsus di	Dyma eich **t**rowsus chi	*Here are your trousers*
Dyma dy **f**eic di	Dyma eich **b**eic chi	*Here's your bike*
Dyma dy **l**yfrau di	Dyma eich **ll**yfrau chi	*Here are your books*

rhieni

llyfrau

2.

Lle mae dy **g**ar di?	Lle mae eich **c**ar chi?	*Where's your car?*
Lle mae dy **d**eganau di?	Lle mae eich **t**eganau chi?	*Where are your toys?*
Lle mae dy **b**êl di?	Lle mae eich **p**êl chi?	*Where's your ball?*
Lle mae dy **f**ag di?	Lle mae eich **b**ag chi?	*Where's your bag?*

cardigan

gwisg ysgol

 Ymarfer

*Point at the pictures and
practise patterns 1 and 2.*

Lle mae dy
gôt di? Dyma
dy gôt di!

teganau

bag

pêl

dillad
chwaraeon

menig

nodiadau
■ **Dy** and **eich** mean 'your'. **Dy** causes a soft mutation; **eich** does not

■ In some cases, we add **di** / **chi** after the possessed item:
dy gôt (di)   eich côt (chi)

■ Following a vowel, **eich** is often shortened to **'ch**:
Dyma'ch côt chi
Lle mae'ch car chi?
Be' ydy'ch enw chi?

3. Paratoi i fynd allan *Getting ready to go out*

Golcha dy wyneb	Golchwch eich wynebau	*Wash your face(s)*
Brwsia dy _wallt	Brwsiwch eich **g**wallt	*Brush your hair*
Sycha dy **d**rwyn	Sychwch eich **t**rwynau	*Wipe your nose(s)*
Cofia dy **f**ag	Cofiwch eich **b**agiau	*Remember your bag(s)*
Paid colli dy **f**enig	Peidiwch colli eich **m**enig	*Don't lose your gloves*

Ymarfer

a. Match the words in the two boxes below to make more instructions.

golchi	pacio	ffonio
glanhau	aros	cyfri
yfed	gwneud	galw
gwisgo	anghofio	bwyta

esgidiau	problemau	pres
brechdanau	dwylo	côt
tro	rhieni	llyfrau
gwaith cartref	llefrith	nain

b. Write some of them below.

ti

chi

4.

Wyt ti isio gwisgo dy **g**rys **c**och?	*Do you want to wear your red shirt?*
Wyt ti isio gwisgo dy **g**ôt _las?	*Do you want to wear your blue coat?*
Wyt ti isio gwisgo dy esgidiau du?	*Do you want to wear your black shoes?*
Dach chi isio gwisgo eich **c**rysau **c**och?	*Do you want to wear your red shirts?*
Dach chi isio gwisgo eich **c**otiau **g**las?	*Do you want to wear your blue coats?*
Dach chi isio gwisgo eich esgidiau du?	*Do you want to wear your black shoes?*

Ymarfer

Efo'ch plentyn

Tick any five items pictured that you want to wear. Your partner has to find out which ones. Tomorrow morning, ask your child(ren) what clothes they want to wear.

Deialog

Mae Eirian yn dŵad adre o'r ysgol.
Weithiau, mae Eirian yn anghofio pethau…

Rhiant:	Helo, cariad. Lle mae dy **fag** di?
Plentyn:	O, **ar y bws**, dw i'n meddwl.
Rhiant:	A lle mae dy **drwmped** di?
Plentyn:	O, **ar iard yr ysgol**, dw i'n meddwl.
Rhiant:	A lle mae dy **ddillad** di?
Plentyn:	O, dw i ddim yn cofio. Sori, **Dad**.
Rhiant:	Popeth yn iawn, cariad. Dyma dy **de** di.

Geirfa Uned 26

bara garlleg	*garlic bread*
bresych	*cabbage*
caws ar dôst	*cheese on toast*
ceirios	*cherries*
grawnffrwyth	*grapefruit*
mefus	*strawberries*
melon	*melon*
nionod	*onions*
ŵy wedi'i ffrio	*fried egg*
gwiwer	*squirrel*
partner	*partner*
pennaeth	*boss, headteacher*
yma ('ma)	*here*
yno ('na)	*there*
…, chwaith	*…, either*
Be' am…?	*What about…?*

 Cân Lle mae dy grys di?
Tôn: *Dacw Mam yn Dŵad*

Lle mae dy **grys** di?	Yn sychu ar y lein.
Lle mae dy **drowsus** di?	Yn sychu wrth y tân.
Lle mae dy **sanau** di?	Yn sychu ar y llwyn.
A lle mae popeth arall?	Mewn basged ar y llawr.

2. côt   menig   het
3. sgert   sgarff   bag

Banc dillad

Clothes bank

This list is for you to dip into as and when needed. There's no need to memorise these words at this stage.

Cymraeg	Saesneg	Cymraeg	Saesneg	Cymraeg	Saesneg
bag	bag	ffrog	frock	top	top
band gwallt	hairband	gemau	jewellery	treinyrs	trainers
bathodyn	badge	gwasgod	waistcoat	trwser, trowsus	trousers
blows	blouse	gwisg briodas	wedding dress	waled	wallet
breichled	bracelet	gwisg ffansi	fancy dress	wats	watch
cardigan	cardigan	gwisg ysgol	school uniform	welingtons	wellingtons
clustdlysau	earrings	gwregys	belt	ymbarel	umbrella
colur	make-up	hances	handkerchief		
côt fawr	overcoat	helmed	helmet		
côt law	raincoat	het	hat		
crys	shirt	maneg	glove		
crys T	t-shirt	menig	gloves		
dillad pob dydd	everyday clothes	minlliw	lipstick		
dillad chwarae	play clothes	modrwy	ring		
dillad cynnes	warm clothes	mwclis	necklace		
dillad ffasiynol	fashion clothes	mwgwd	mask		
dillad gaeaf	winter clothes	nicers, nicyrs	knickers		
dillad gwaith	work clothes	pants, trôns	pants		
dillad haf	summer clothes	pwrs	purse		
dillad isaf	underwear	pyjamas	pyjamas		
dillad masnach deg	fair trade clothes	sanau	socks		
dillad nofio	swimwear	sandalau	sandals		
dillad nos	nightwear	sbectol	glasses		
dillad tywydd gwlyb	wet weather clothes	sgarff	scarf		
dillad ysgol	school clothes	sgert	skirt		
esgidiau	shoes	siaced	jacket		
esgidiau chwaraeon	sports shoes	siorts	shorts		
esgidiau sodlau uchel	high-heeled shoes	siwmper	jumper		
fest	vest	siwt	suit		
ffedog	apron	sliperi	slippers		
ffon	walking stick	tatŵ	tattoo		

Gwybodaeth ddefnyddiol
Useful information

The BBC Learn Welsh page lists a variety of useful websites, including:
· Big Welsh Challenge
· Catchphrase
· Colin and Cumberland
· Living in Wales
· Pigion Radio Cymru
· Welsh at Home
· Welsh in the Workplace

http://www.bbc.co.uk/wales/learning/learnwelsh/

The learners' section of the S4C website provides background to help learners understand Welsh language programmes, with subtitles in both languages. There are also games and wordsearches.

http://www.s4c.co.uk/dysgwyr/

Anagramau

Beth yw'r rhain?

tasw _____	tefs _____	chleebird _____
scwiml _____	paasjmy _____	aiigedus _____
gnidraac _____	igemn _____	wiggs sogly _____ _____
gedoff _____	llaidd faage _____ _____	irespli _____
onadbyth _____	udusllactys _____	ceblost _____
sadwogg _____	riscen _____	syrwegg _____

Darllen: Mynd i barti!

Mae Delyth a Lona'n mynd i barti heddiw. Maen nhw yn yr ystafell chwarae, yn gwisgo. Yn yr ystafell chwarae, mae cwpwrdd dillad mawr, a llawer o ddillad crand a diddorol.

"Ww, dyna ffrog neis! Dw i'n hoffi honna!"
"Ydy, mae hi'n grand iawn. Dyma un binc i ti! Wyt ti isio het hefyd?"
"Oes, plîs! Oes gen ti het binc?"
"Dw i ddim yn siŵr. Edrycha yn y cwpwrdd."

Mae llawer o hetiau yn y cwpwrdd, ond does dim un binc. Mae Lona'n gwisgo un ddu. Mewn drôr yn y cwpwrdd, mae colur. Dydy Lona ddim yn hoffi colur, ond mae Delyth yn gwisgo minlliw coch.

"Be' ydy hwnna? Minlliw? Ych, paid! Mae gen ti ormod rŵan."
"Nac oes. Does gen i ddim digon! Mae'n edrych yn… soffistigedig iawn."
"Soffistigedig? Oce… Be' am eyeshadow hefyd?"
"Does dim eyeshadow yn y drôr."

Dyn busnes ydy tad Delyth a Lona, ac mae o'n gweithio yn Japan, Tsieina, Awstralia a Rwsia. Bob Nadolig, mae o'n dŵad â dillad egsotig i Delyth, Lona a'u mam.

"Hei, edrycha! Wyt ti'n gwybod be' ydy hwn?"
"Kimono, ia? O le mae o'n dŵad?"
"O Japan. Un Mami ydy o, dw i'n meddwl."
"Iawn. Paid gwisgo hwnna, 'ta."

Mae Mami'n dŵad i mewn.

"Bobol bach! Be' dach chi'n wisgo? Dach chi'n grand iawn."
"Wrth gwrs! Mae pawb yn gwisgo'n grand i'r parti. Kimono pwy ydy hwn, Mami?"
"Kimono Dadi ydy o. Peidiwch gwisgo hwnna. Reit, 'ta. Mae'n amser mynd i'r parti rŵan. Dach chi isio gwisgo eich esgidiau newydd?"

Mae Nia wedi bwyta ei chawl

Nia has eaten her soup

Themâu: bwyd a diod, y teulu
Themes: food and drink, family

Content:

- *saying 'his' and 'her'*

1.

Pysgod	ei **b**ysgod (o)	ei **ph**ysgod (hi)	*his / her fish*
Teisen	ei **d**eisen (o)	ei **th**eisen (hi)	*his / her cake*
Cawl	ei **g**awl (o)	ei **ch**awl (hi)	*his / her soup*
Banana	ei **f**anana (fo)	ei **b**anana (hi)	*his / her banana*
Dŵr	ei **dd**ŵr (o)	ei **d**ŵr (hi)	*his / her water*
Grawnwin	ei _rawnwin (o)	ei **g**rawnwin (hi)	*his / her grapes*
Llysiau	ei **l**ysiau (fo)	ei **ll**ysiau (hi)	*his / her vegetables*
Moron	ei **f**oron (o)	ei **m**oron (hi)	*his / her carrots*
Rhiwbob	ei **r**iwbob (o)	ei **rh**iwbob (hi)	*his / her rhubarb*
Oren	ei oren (o)	ei **h**oren (hi)	*his / her orange*

2.

Mae Tim wedi bwyta ei **b**ysgod	*Tim has eaten his fish*
Mae o wedi bwyta ei **d**eisen	*He has eaten his cake*
Dydy Tim ddim wedi bwyta ei **g**awl	*Tim hasn't eaten his soup*
Dydy o ddim wedi yfed ei **dd**ŵr	*He hasn't drunk his water*

3.

Mae Nia wedi bwyta ei **ph**ysgod	*Nia has eaten her fish*
Mae hi wedi bwyta ei **th**eisen	*She has eaten her cake*
Dydy Nia ddim wedi bwyta ei **ch**awl	*Nia hasn't eaten her soup*
Dydy hi ddim wedi yfed ei **d**ŵr	*She hasn't drunk her water*

nodiadau

■ *Ei* (his) causes a soft mutation, like *dy*. *Ei* (her) causes an aspirate mutation, as seen in Uned 21:

p → ph   t → th   c → ch

■ After *ei* (her), *h* is added to words beginning with a vowel:
ei **h**oren   ei **h**afal   ei **h**ŵy

■ *Ei* is normally pronounced *i*.

 **Ymarfer**

a. Partner 1: say what Tim has eaten (or drunk) according to the ✔ ✗ in each picture. Partner 2: do the same for Nia. When both Tim and Nia have had the same item, use **hefyd***. When neither of them have, use* **chwaith***. Then, exchange roles.*

> Mae Tim wedi bwyta ei bwdin siocled.

> Mae Nia wedi bwyta ei phwdin siocled hefyd.

> Dydy Tim ddim wedi bwyta ei roliau bara.

> Dydy Nia ddim wedi bwyta ei rholiau bara chwaith.

b. Your partner closes the book. See how much he / she remembers.

> Ydy Nia wedi bwyta ei thatws?

4.

Dyma Darren	*This is Darren*	Dyma Karen	*This is Karen*
Dyma ei **b**artner o	*This is his partner*	Dyma ei **ph**artner hi	*This is her partner*
Dyma ei **d**ad o	*This is his father*	Dyma ei **th**ad hi	*This is her father*
Dyma ei **g**efnder o	*This is his male cousin*	Dyma ei **ch**efnder hi	*This is her male cousin*

partner   tad   mam   brawd   cefnder   cyfnither   pennaeth

Ymarfer:
Teulu a ffrindiau Darren a Karen

Work out who Darren and Karen's associates are, and use pattern 4 to introduce them.

Deialog

Mae Taid yn ffonio, ac isio gwybod be' mae pawb yn wneud.

Taid:*   Noswaith dda. Ydy Mam yno? Be' mae hi'n wneud?

Plentyn: Helo, Taid. Mae Mam yn **golchi ei gwallt**.

Taid: Be' am dy dad?

Plentyn: Mae o yma. Mae o'n **golchi ei wallt** hefyd.

Taid: A be' am dy frawd a dy chwaer? Ydyn nhw yno?

Plentyn: Mae Lisa'n **gwneud ei gwaith cartref**, a Geraint **yn smwddio ei grys ysgol**.

Taid: Wel, dyna blant da!

*neu Nain

 Cân   Mi Welais Jac-y-Do

1	2	3
Mi welais jac-y-do	Mi welais eliffant pinc	Mi welais wiwer ddu
Yn eistedd ar ben to,	Yn eistedd yn y sinc,	Yn eistedd ar ben tŷ,
Het wen am ei ben	Yn darllen map	Het wen am ei phen
A dwy goes bren,	O dan y tap,	A dwy goes bren,
Ho-ho-ho-ho-ho-ho.	Ha-ha-ha-ha-ha-ha.	Hi-hi-hi-hi-hi-hi.

Geirfa Uned 27

cod post	*postcode*
cyfeiriad	*address, direction*
cyfrifiaduron	*computers*
dannedd	*teeth*
e-bost	*e-mail*
enw(au)	*name(s)*
ffair haf	*summer fair*
ffeil(iau)	*file(s)*
ffonau symudol	*mobile phones*
neuadd	*hall*
plentyn	*child*
siaced(i)	*jacket(s)*
tabled(i)	*tablet(s)*
ŵy/wyau Pasg	*Easter egg/eggs*
ffeindio	*to find*

uned 27

Be' ydy dy enw di?

What's your name?

Themâu: y cartref, y teulu
Themes: home, family

Content:

- *exchanging basic personal details*
- *saying 'our' and 'their'*

1.

Be' ydy dy enw di?	Be' ydy'ch enw chi?	*What's your name?*
Be' ydy dy **r**if ffôn di?	Be' ydy'ch rhif ffôn chi?	*What's your phone number?*
Be' ydy dy **g**yfeiriad e-bost di?	Be' ydy'ch cyfeiriad e-bost chi?	*What's your e-mail address?*
Be' ydy dy **g**yfeiriad di?	Be' ydy'ch cyfeiriad chi?	*What's your address?*
Be' ydy dy **g**od post di?	Be' ydy'ch cod post chi?	*What's your postcode?*

 Ymarfer

Ask others in the class the questions you have learnt, and fill in the grid. If preferred, assumed identities may be used.

enw	rhif ffôn	cyfeiriad e-bost	cyfeiriad	cod post

2.

Be' ydy enw dy **b**lentyn di?	Be' ydy enw eich plentyn chi?	*What's the name of your child?*
Be' ydy lliw dy _wallt di?	Be' ydy lliw eich gwallt chi?	*What's the colour of your hair?*
Be' ydy lliw dy **g**ar di?	Be' ydy lliw eich car chi?	*What's the colour of your car?*
Be' ydy rhif dy **d**ŷ di?	Be' ydy rhif eich tŷ chi?	*What's the number of your house?*

Ymarfer

Work with a partner. Look at the sample answers to the questions in Block 2. Choose a well-known character. Your partner has to interview you with the above questions, and guess who you are.

Iesu ydy ei enw o.

Does gen i ddim car.

Mair Magdalen dach chi?

Mae o'n ddu.

Does gen i ddim tŷ chwaith.

3.

Dan ni wedi colli ein teganau	*We've lost our toys*
Dan ni wedi colli ein dillad	*We've lost our clothes*
Dan ni wedi ffeindio ein pres	*We've found our money*
Dan ni wedi ffeindio ein **h**wyau Pasg	*We've found our Easter eggs*

4.

Lle mae eu teganau nhw?	*Where are their toys?*
Lle mae eu cinio nhw?	*Where is their lunch?*
Lle mae eu llyfrau nhw?	*Where are their books?*
Lle mae eu **h**ewythr nhw?	*Where is their uncle?*

Ymarfer   *a. Put a ☺ next to any four pictures, and ☹ next to the other four. Tell your partner what you have found (☺) and what you have lost (☹). Use Pattern 3.*

b. Mr and Mrs Evans are looking for the things pictured on the previous page.
Ask whether your partner knows where they are, using Pattern 4.
Your partner must think of a suitable answer. Exchange roles.

> Lle mae eu hagoriadau nhw?

> Maen nhw yn y drôr

5.

Maen nhw'n brwsio eu dannedd	They're brushing their teeth	or	They brush their teeth
Maen nhw'n smwddio eu dillad	They're ironing their clothes	or	They iron their clothes
Dydyn nhw ddim yn golchi eu **h**wynebau	They're not washing their faces	or	They don't wash their faces
Dydyn nhw ddim yn glanhau eu **h**esgidiau	They're not cleaning their shoes	or	They don't clean their shoes

Ymarfer

Choose a pair from the grid. Your partner must guess which pair you've chosen, by asking which things they do, and which things they don't do.

> Ydyn nhw'n smwddio eu dillad?

> Nac ydyn. Dydyn nhw ddim yn smwddio eu dillad.

Emma ac Endaf	✔	✘	✔	✘
Owain a Medi	✔	✔	✘	✘
Annalie a Rhian	✘	✔	✔	✘
Shân a Tomos	✔	✘	✘	✔

Deialog

Mae Fflur a Gwynfor yn ffair haf yr ysgol.
Maen nhw isio ffeindio eu rhieni.

Plant: **Mr Phillips**, dach chi wedi gweld ein rhieni ni?

Athro: Ydw, blant. Maen nhw efo rhieni eich ffrindiau chi.

Plant: A lle mae rhieni ein ffrindiau ni?

Athro: Yn **neuadd yr ysgol**, dw i'n meddwl.

Plant: Diolch, **Mr Phillips**.

 Cân Be' ydy dy enw di?
Tôn: *Dau gi bach*

Be' ydy dy enw di?	Be' ydy dy enw di?	
Dewi Siôn ydw i.	Dewi Siôn ydw i.	Ho, ho, ho!
Be' ydy dy rif ffôn di?	Be' ydy dy rif ffôn di?	
234784.	234784.	Ho, ho, ho!
Be' ydy dy gyfeiriad di?	Be' ydy dy gyfeiriad di?	
64 Stryd yr Eglwys.	64 Stryd yr Eglwys.	Ho, ho, ho!
Be' ydy dy god post di?	Be' ydy dy god post di?	
CF20 3MA.	CF20 3MA.	Ho, ho, ho!

Geirfa Uned 28

bwrdd	*table*
eliffant	*elephant*
haearn smwddio	*iron*
llun	*picture, drawing*
(mam)-yng-nghyfraith	*(mother)-in-law*
whisgi	*whisky*
yn y car	*in the car*
ar y beic	*on the bike*
ar y bws	*on the bus*
ar y trên	*on the train*
ar long	*on a ship*
mewn awyren	*on a plane*
mewn tacsi	*in a taxi*
brown	*brown*
yn y dyddiau nesa(f)	*in the next few days*

Uned Adolygu

uned 22
1. Mae **coffi**'n dŵad o **Frasil**
2. O le mae **te**'n dŵad?
3. **Dw i**'n dŵad o **Bontardawe**
4. O le **wyt ti**'n dŵad?

uned 25
1. Dyma dy **gôt** di   Dyma eich **côt** chi
2. Lle mae dy **gar** di?   Lle mae eich **car** chi?
3. **Golcha** dy **wyneb**   **Golchwch** eich **wynebau**
4. Wyt ti isio gwisgo   Dach chi isio gwisgo
   dy **grys coch?**   eich **crysau coch?**

uned 23
1. Dw i'n mynd i'r **ysgol** rŵan
2. Lle **wyt ti**'n mynd **fory**?
3. **Dw i**'n mynd i **Bontypridd**
4. **Wyt ti**'n mynd i **Lwynypïa**?

uned 26
1. ei **bysgod** o   ei **physgod** hi
2. Mae **Tim** wedi   Mae **Nia** wedi **bwyta**
   bwyta ei **bysgod**   ei **physgod**
4. Dyma ei **bartner** o   Dyma ei **phartner** hi

uned 24
1. **Bocs Paul** ydy **hwnna**
2. **Bocs** pwy ydy **hwnna**?
3. **Brawd Mrs Jones** ydy **Paul**   Pwy ydy **Paul**?
4. **Mam Toby** ydy **honna**
5. **Mam** pwy ydy **honna**?

uned 27
1. Be' ydy dy **enw** di?   Be' ydy'ch **enw** chi?
2. Be' ydy **enw** dy **blentyn** di?   Be' ydy **enw** eich **plentyn** chi?
3. Dan ni wedi **colli** ein **teganau**
4. Lle mae **eu teganau** nhw?
5. Maen nhw'n **brwsio**   Dydyn nhw ddim yn **brwsio**
   eu **dannedd**   eu **dannedd**

Gweithgareddau Adolygu

uned 22

a. You have learnt the names of 17 countries in Welsh. Can you remember them all without checking?

b. Test your partner's knowledge about different countries' produce, using the prompts below.

haggis – Brasil   reis – yr India

croissants – Ffrainc   orennau – Lloegr

siocled – y Swistir   bananas – yr Alban

coffi – De America   pasta – Indonesia

afocados – Mecsico   nwdls – Japan

cnau coco – Sbaen   gwin – yr Almaen

> Ydy haggis yn dŵad o Frasil?

> Nac ydy, dydy haggis ddim yn dŵad o Frasil. Mae o'n dŵad o'r Alban.

c. Ask each other where other members of the class come from. If you don't know where people are from, ask them.

d. **Celebrities' Hometowns Quiz!**

Dach chi'n gwybod o le maen nhw'n dŵad yn wreiddiol? *Match the celebrities to their hometowns.*

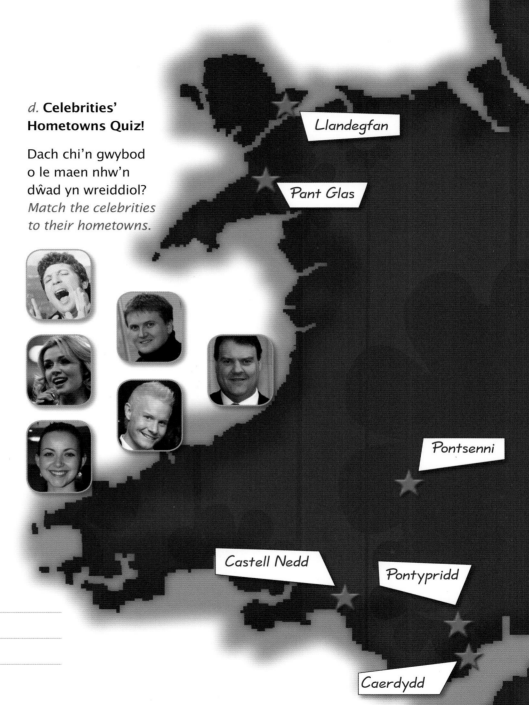

Llandegfan

Pant Glas

Pontsenni

Castell Nedd

Pontypridd

Caerdydd

uned 23
Lle maen nhw'n mynd?

Mae Alun yn mynd yn y car i Fro Ogwr.

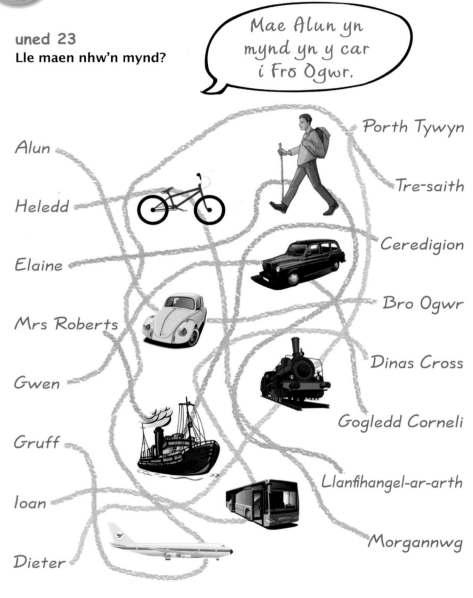

Alun

Heledd

Elaine

Mrs Roberts

Gwen

Gruff

Ioan

Dieter

Porth Tywyn

Tre-saith

Ceredigion

Bro Ogwr

Dinas Cross

Gogledd Corneli

Llanfihangel-ar-arth

Morgannwg

Lle dach chi'n mynd yn y dyddiau nesaf? Be' am eich plentyn?

uned 24
Dach chi'n cofio?

Radio pwy ydy hwnna?   Radio Anwen ydy hwnna

radio   haearn smwddio   cyfrifiadur   bocs

côt   ffrog   siaced   het

Coeden Achau *Family Tree*

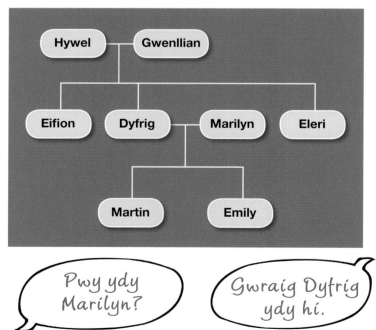

Pwy ydy Marilyn?

Gwraig Dyfrig ydy hi.

uned 25 a 26
y Meddiannol *the Possessive*

Throw the dice for each item.
Use the diagram to say who it
belongs to. (In this pattern,
it doesn't matter whether the
item is masculine or feminine.)

> Pump! Iawn, 'ta.
> Dyma ein hawyren ni.

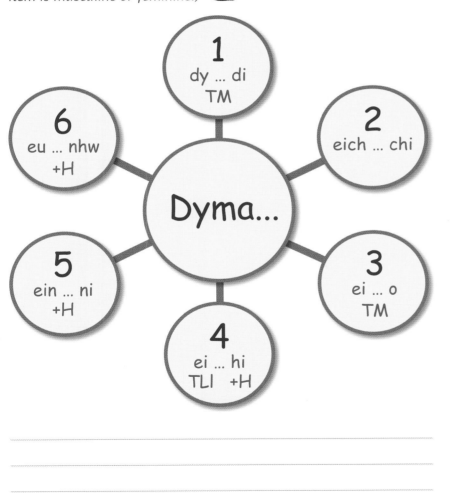

Úned 27

a. What are the questions to these answers?

(_____ ?)

Donna Hooper ydw i.

(_____ ?)

07840 760397.

(_____ ?)

dhooper26@yahŵ.co.uk.

(_____ ?)

14, Clos y Ddraig, Llanfforest.

(_____ ?)

CF31 9HE.

(_____ ?)

Lucas, Callum a Llinos ydy eu henwau nhw.

(_____ ?)

Mae o'n frown, ac mae gen i *highlights*.

(_____ ?)

Volkswagen ydy o.

(_____ ?)

14.

b. Ask your partner these questions
(without reading them aloud, if you can).

Geirfa Uned 29

oed	*age*
pen-blwydd	*birthday*
pennau blwyddi	*birthdays*
babi	*baby (less formal than* baban)
mis(oedd)	*month(s)*
gwisg ffansi	*fancy dress*
môr-ladron	*pirates*
peli paent	*paintball*
Ionawr	*January*
Chwefror	*February*
Mawrth	*March*
Ebrill	*April*
Mai	*May*
Mehefin	*June*
Gorffennaf	*July*
Awst	*August*
Medi	*September*
Hydref	*October*
Tachwedd	*November*
Rhagfyr	*December*
...oed	*...years old*
erbyn dydd Gwener	*by Friday*
hapus	*happy*

dechrau →

O le mae whisgi'n dŵad?

Ydy Kylie Minogue yn dŵad o Gymru?

O le dach chi'n dŵad yn wreiddiol?

Dach chi'n mynd i'r gwaith fory?

Lle wyt ti'n mynd dydd Sadwrn?

Be' ydy They're not going to Porthcawl yn Gymraeg?

Ydy pawb yn eich teulu chi'n brwsio eu dannedd bob nos?

Hogyn pwy ydy Sean Lennon?

Be' ydy enw eich tiwtor chi?

Trac adolygu

Rhiant pwy dach chi?

Be' ydy dy enw di, dy rif ffôn di, a dy gyfeiriad di?

Be' ydy Whose car is that? yn Gymraeg?

Imagine your neighbours have just come in. Introduce your partner and family members, using Dyma ei...

Ydy eich plentyn chi wedi bwyta ei frecwast / ei brecwast heddiw?

Dwedwch yn Gymraeg: his child, her child his dad, her dad his cat, her cat

Give three commands using dy.

Ydy eich plant chi yn yr ysgol rŵan?

Lle mae dy ffôn symudol di?

Faint ydy dy oed di?

How old are you?

Themâu: y teulu, rhifo, dathliadau, amser
Themes: family, counting, celebrations, time

Content:

- *age and birthdays*
- *months of the year*

1.

Faint ydy dy oed di?	*How old are you?*
Faint ydy eich oed chi?	
Faint ydy oed y babi?	*How old is the baby?*
Faint ydy oed dy blentyn di / eich plentyn chi?	*How old is your child?*
Faint ydy oed Eifion?	*How old is Eifion?*
Faint ydy ei oed o?	*How old is he?*
Faint ydy ei hoed hi?	*How old is she?*

2.

	Mae o / hi'n...	*He / she's...*
1	un (oed)	*one (year old)*
2	ddwy (oed)	*two (years old)*
3	dair (oed)	*three (years old)*
4	bedair (oed)	*four (years old)*
5	bump (oed)	*five (years old)*
6	chwech (oed)	*six (years old)*
7	saith (oed)	*seven (years old)*

3.

Ionawr	*January*	Gorffennaf	*July*
Chwefror	*February*	Awst	*August*
Mawrth	*March*	Medi	*September*
Ebrill	*April*	Hydref	*October*
Mai	*May*	Tachwedd	*November*
Mehefin	*June*	Rhagfyr	*December*

nodiadau

■ When expressing age, we are counting years, which are feminine. This means we use **dwy, tair, pedair** for both boys and girls. From 12 on, revert to **dau, tri, pedwar**

■ As when telling the time, remember to soft mutate numbers after **yn / 'n**

■ *Faint ydy oed...?* is used to talk about people and animals only. To talk about buildings, cars etc, we use **Pa mor hen ydy...?** (This will be covered at a later level.)

Ymarfer Faint ydy eu hoed nhw?

a. Guess the age of these children and adults.
Check whether you were right at the bottom of the page.

> Faint ydy oed Gwern?

> Mae o'n ddwy oed.

Gwern

Elin

Daniel

Siôn

Rebecca

Angharad

Haydn

Luned

Cindy

Iwan Hedd

Toby

Efa

b. Fill in the grid on the right with your own family, following the example. 'Invent' some additional members if you wish. Look at your partner's list, and ask the ages of the people in his/her family.

> Faint ydy oed dy dad di?

> Mae o'n chwe deg wyth.

Enw(au)	Perthynas
Mair	Mam
Bryn	Tad
Gareth, Arthur	Brawd
Sara	Chwaer
Claire, Liz	Cyfnither
Ahmed	Gŵr
Einion, Rhiannon	Plant

Enw(au)	Perthynas

Gwern: 2
Elin: 7
Daniel: 3
Siôn: 16
Rebecca: 45
Angharad: 4
Haydn: 64
Luned: 27
Cindy: 8
Iwan Hedd: 1
Toby: 6
Efa: 2

4.

Pryd mae dy ben-blwydd di?	*When is your birthday?*
Pryd mae pen-blwydd dy blentyn di?	*When is your child's birthday?*
Pryd mae pen-blwydd Nic?	*When is Nic's birthday?*
Pryd mae ei ben-blwydd o?	*When is his birthday?*
Pryd mae ei phen-blwydd hi?	*When is her birthday?*
Ym mis Ionawr	*In the month of January*

Enw	Mis eu pen-blwydd

Mae pen-blwydd Phil ym mis Chwefror.

Ymarfer

Ask six people when their birthday is, and fill in the grid. Report back to your partner.

Ysgrifennu cardiau

Write a party invitation or a birthday card following the examples. Here are some more party ideas:

- parti pêl-droed
- parti gwisg ffansi
- parti môr-ladron
- parti bowlio deg
- parti peli paent

I Rachel

Dewch i barti pen-blwydd Ifor yn 7 oed!

Mae Ifor yn cael Parti Sinema yn yr Odeon.
**Dydd Mawrth 25 Mai
2.00–5.00 y prynhawn**

RSVP erbyn dydd Gwener 21 Mai. Diolch yn fawr.

Ffôn: 01798 362774

Pen-blwydd hapus!

Cariad a dymuniadau gorau oddi wrth
Pam
ac Owen

Happy birthday!

Love and best wishes from
Pam
and Owen

Deialog

Mae cerdyn wedi dŵad efo'r post.

Rhiant:	O, edrych! Mae **Ifor** yn cael parti pen-blwydd **saith** oed.
Plentyn:	Hwrê! Ga' i fynd, plîs?
Rhiant:	Cei, wrth gwrs. Pa anrheg ydan ni'n mynd i brynu?
Plentyn:	Mmm. Cwestiwn da.
Rhiant:	Be' am **lyfr coginio**?
Plentyn:	O, na! Dydy **Ifor** ddim yn hoffi **coginio** o gwbl. Ond mae o'n hoffi **gwylio ffilmiau**.

🎵 Cân Pen-blwydd hapus

Pen-blwydd hapus i ti!	Dyma anrheg i ti!	Dyma gacen i ti!
Pen-blwydd hapus i ti!	Dyma anrheg i ti!	Dyma gacen i ti!
Pen-blwydd hapus i **Emyr**!	Dyma anrheg i **Emyr**!	Dyma gacen i **Emyr**!
Pen-blwydd hapus i ti!	Dyma anrheg i ti!	Dyma gacen i ti!

Geirfa Uned 30

fflat	*a flat*
ysgrifenyddes	*secretary (female)*
cwmni	*a company, company*
y golch	*the washing*
popeth	*everything*
syniad	*idea*
dechrau	*to start*
edrych ar ôl	*to look after*
ardderchog	*excellent*
priod	*married*
ar hyn o bryd	*at the moment*
cyn …	*before …*
cyn bo hir	*before long, soon*
eleni	*this year*
fel arfer	*usually*
tan	*until*
wedyn	*then, afterwards*
weithiau	*sometimes*
(y) llynedd	*last year*
ffwrdd â ni	*off we go*

Diwedd Mynediad 1

End of Entry Part 1

Themâu: y teulu, teithio, y cartref, anifeiliaid
Themes: family, travel, home, animals

Content:

- *reading*
- *speaking*
- *revision*

Y Teulu Dubois

Dyma Elinor, fy chwaer, a'i gŵr, Pierre. Maen nhw'n briod ers y llynedd. Maen nhw'n byw mewn fflat fawr yn Abertawe, ac mae gynnyn nhw dri o blant. Ysgrifenyddes ydy Elinor, ond dydy hi ddim yn gweithio ar hyn o bryd. Mae hi'n edrych ar ôl y plant. Elen, Léon a Jacques ydy eu henwau nhw; mae Elen yn saith oed, Léon yn dair, a Jacques yn naw mis. Mae Elinor yn gobeithio dechrau gweithio eto cyn bo hir.

Mae Pierre yn gweithio i gwmni teledu yn Llanelli, ac mae o'n mwynhau'r gwaith yn fawr. Mae'r bobl yn y gwaith yn llawer o hwyl. Dyn camera ydy Pierre, ond dydy o ddim yn gweithio ar y penwythnos.

Mae llawer o waith i wneud yn y tŷ, ac mae Elinor a Pierre yn blino. Fel arfer, Elinor sy'n coginio, ond mae Pierre yn helpu efo'r siopa, y golch a'r glanhau. Ar ôl gorffen popeth, maen nhw'n edrych ar y teledu, wedyn maen nhw'n mynd i'r gwely.

Bob dydd Sadwrn, mae Elinor, Pierre a'r plant yn hoffi mynd i'r Mwmbwls am dro. Weithiau, pan mae'r tywydd yn braf, maen nhw'n cael hufen iâ yn y caffi yno.

Mae Pierre, Elen a Léon yn hoffi mynd i weld y rygbi, ac maen nhw'n canu Sosban Fach cyn y gêm. Dydy Elinor ddim yn hoffi chwaraeon, ond mae hi'n hoffi canu, ac mae hi'n medru canu'r piano'n dda. Dydy Jacques ddim yn medru gwneud dim byd eto, achos mae o'n fach, ond mae o'n hoffi gwrando ar ei fam, ei dad a'i chwaer yn canu (maen nhw'n meddwl!).

Sgwrsio

Tell your partner about your own family, or a family you know. Use these questions as a guide.

1. Be' ydy eu henwau nhw?
2. Faint ydy eu hoed nhw?
3. Oes gynnyn nhw blant?
   Os oes, sawl plentyn sy gynnyn nhw?
4. Ydy'r plant yn mynd i'r ysgol?
   Os ydyn nhw, i ba ysgol?
5. Be' ydy gwaith y rhieni?
6. Ydyn nhw'n gweithio ar hyn o bryd?
   Os ydyn nhw, lle?
7. Pwy sy'n gwneud y coginio, y gwaith tŷ ac ati?
8. Be' maen nhw'n hoffi wneud ar y penwythnos?
9. Be' dydyn nhw ddim yn hoffi wneud?
10. Ydyn nhw'n hoffi chwaraeon?
    Be' am gerddoriaeth?

Gwyliau

Y Rhyl

Edrychwch ar y lluniau. Siaradwch am wyliau'r teulu Dubois.

Lle maen nhw'n mynd?   Sut maen nhw'n mynd?
Lle maen nhw'n aros?   Sut mae'r tywydd?
Be' maen nhw'n wneud?   Be' maen nhw'n fwyta?

Be' amdanoch chi?

Dach chi wedi bod yn y Rhyl?

Lle dach chi'n hoffi mynd?

Sut dach chi'n mynd ar wyliau fel arfer?

Oes gynnoch chi garafán?

Be' dach chi'n hoffi wneud?

Be' dach chi'n fwyta?

Dach chi fel arfer yn cael tywydd da?

Lle dach chi'n mynd eleni?

Wyt ti wedi bod yn . . . ?

Ffrainc	yr Alban	America	Iwerddon	yr Almaen	Canada
Sbaen	Japan	Awstralia	yr Eidal	y Swistir	Affrica
Corea	De America	yr India	Denmarc	Indonesia	Hwngari

Y cartref Mae gan Elen a Léon lawer o anifeiliaid anwes!

(Do you remember whether these animals are feminine or masculine?
You can check in the vocabulary index at the end of the book.)

> Faint o anifeiliaid sy gan y plant?
> Sawl anifail sy yn ystafell Elen?
> Sawl un sy yn ystafell Léon?
> Pa anifeiliaid dach chi'n gweld, a sawl un?

Cover the page, and ask the questions again.

Eich teulu chi

> Oes gan eich plant chi anifail anwes?
> Os oes, be' sy gynno fo/gynni hi/gynnyn nhw? Sawl un?
> Pa liw ydy'r anifail / anifeiliaid?

Ask questions about the animals:

Lle mae **cath Elen**?
Be' ydy enw **ci Léon**?
Oes gan **Léon** lawer o **fwncïod**?

Lle mae **gwiwer Léon**?
Oes gan **Elen gi**?
Pa liw ydy'r **pysgod**?

_____

_____

_____

_____

Deialog

Mae Mam / Dad yn dŵad adre ar ôl gwers olaf cwrs Mynediad 1.

Rhiant: Hwrê! Dw i wedi gorffen y cwrs Cymraeg.

Plentyn: Hei, gwych! Llongyfarchiadau.
          Pryd mae'r un nesa'n dechrau?

Rhiant: Dim tan fis **Medi**.

Plentyn: Wel, be' am fynd i **Langrannog** yn yr haf?

Rhiant: Dyna syniad ardderchog.

Plentyn: Ia. Mae pawb yn siarad Cymraeg bob dydd
          yn **Llangrannog**.

Rhiant: Iawn, 'ta. **Llangrannog**, dyma ni'n dŵad!

Plentyn: Hwrê! Ffwrdd â ni!

 Cân Hwyl fawr, ffrindiau
Tôn: *Nice one, Cyril*

Hwyl fawr, ffrindiau
Hwyl fawr, ffrindiau
Hwyl fawr, ffrindiau
Mae'n amser dweud hwyl fawr.

Pob hwyl, ffrindiau
Pob hwyl, ffrindiau
Pob hwyl, ffrindiau
Mae'n amser dweud hwyl fawr.

Ffarwél, ffrindiau
Ffarwél, ffrindiau
Ffarwél, ffrindiau
Mae'n amser dweud hwyl fawr.

Cytgan *Chorus*:
Twdl-ŵ a ffwrdd â ni, ffwrdd â ni, ffwrdd â ni,
Twdl-ŵ a ffwrdd â ni, mae'n amser dweud hwyl fawr.

Eitem	Saesneg	Uned	Eitem	Saesneg	Uned	Eitem	Saesneg	Uned
a, ac	*and*	1	asyn	*donkey*	11	brawd	*brother*	16
ac ati	*and so on*	30	ateb	*answer, to answer*	Y	brechdan(au)	*sandwich(es)*	2
ac, a	*and*	1	athrawes/athro	*teacher (female/male)*	4	brecwast	*breakfast*	Y
actor/actores	*actor (male/female)*	4	atig	*attic*	21	bresych	*cabbage*	26
adre	*home(wards)*	19	Awst	*August*	29	brown	*brown*	28
afal	*apple*	7	awyren	*aeroplane*	17	brwsh(ys) paent	*paintbrush(es)*	21
agoriad(au)	*key(s)*	18	baban	*baby*	11	brwsio	*to brush*	25
allan, mas	*out*	5	babi	*baby (informal)*	29	brysio	*to hurry*	9
am	*for, about*	3	bach	*small, little*	20	bugail	*shepherd*	11
amgueddfa	*museum*	23	bacwn	*bacon*	7	bwrdd	*table*	28
amser	*time*	Y	bag	*bag*	15	bwrw eira	*to snow*	13
amser sbâr	*spare time*	18	bale	*ballet*	23	bwrw glaw	*to rain*	13
angel	*angel*	11	banc	*bank*	23	bws	*bus*	7
anghenfil	*monster*	24	bara	*bread*	7	bwyta	*to eat*	3
anghofio	*to forget*	25	beic	*bike*	5	bwyta allan	*to eat out*	22
anifail anwes	*pet*	18	bendigedig	*wonderful*	13	byji	*budgie*	18
anodd	*difficult*	10	benthyg	*to borrow, to lend*	13	cacen gri	*welshcake*	12
anrheg	*gift, present*	11	be' am...?	*what about...?*	26	cacen siocled	*chocolate cake*	2
anti	*auntie*	16	bihafio	*to behave*	9	cadair	*chair*	17
ar	*on*	15	bin	*bin*	15	cadw	*to keep*	5
ar hyn o bryd	*at the moment*	30	bisged(i)	*biscuit(s)*	7	cael	*to have, to get*	6
ar ôl	*left, remaining*	19	blino	*to get tired*	30	caffi	*café*	23
ar ôl	*after*	23	bloc(iau) pren	*wooden block(s)*	9	calon	*heart*	20
arall	*other, another, else*	18	blwyddyn	*year*	11	camera	*camera*	15
archfarchnad	*supermarket*	22	blwyddyn	*year*	20	canu	*to sing/play*	7
ardderchog	*excellent*	30	bob	*each, every*	20		*(instrument)*	
arlunydd	*artist*	4	bocs	*box*	15			
aros	*to wait, to stay*	9	bore	*morning*	1	car	*car*	15
aros am	*to wait for*	14	bowlio deg	*ten-pin bowling*	6	carafán	*caravan*	18
arth	*bear*	18	braf	*fine*	13	cardigan	*cardigan*	21
						carped	*carpet*	15

Eitem	Saesneg	Uned	Eitem	Saesneg	Uned	Eitem	Saesneg	Uned
caru	to love	25	cwmni	a company, company	30	dawnsiwr	dancer	4
casáu	to hate	22	cwpwrdd	cupboard	15	dechrau	to start	30
castell	castle	18	cwrw	beer	12	defnyddio	to use	14
cath	cat	15	cwyno	to complain	Y	deg	ten	Y
cawl	soup (Welsh broth)	2	cyfarfod	to meet	5	dewch	come (imperative)	Y
caws	cheese	2	cyfeiriad	address, direction	27	diddorol	interesting	12
ceffyl	horse	18	cyfnither	female cousin	19	diflas	dull, miserable	13
cefnder	male cousin	19	cyfri(f)	to count	25	digon	enough	8
cegin	kitchen	24	cyfrifiadur	computer	8	dillad	clothes	9
ceirios	cherries	26	cyfrifiaduron	computers	27	dim	no, not, zero	Y
cerdded	to walk	5	cylch	circle	17	dim (byd)	nothing	3
cerddoriaeth	music	5	cylchgrawn,	magazine(s)	20	diod	drink	10
cerdyn	card	11	cylchgronau			diolch	thanks, to thank	Y
ci	dog	17	Cymraeg	Welsh (language)	3	doctor	doctor	4
cig	meat	2	Cymru	Wales	22	doethion	wise men	11
cinio	lunch	Y	cymylog	cloudy	13	dosbarth	class	19
cloc	clock	11	cyn	before	30	drôr	drawer	15
cnau coco	coconuts	22	cyn bo hir	before long, soon	30	dros	over	23
coch	red	17	cynnes	warm	13	drud	expensive	22
cod post	postcode	27	cyrraedd	to reach, to arrive in	20	drws	door	15
codi	to get up, to pick up	8	cysgu	to sleep	3	du	black	17
cofio	to remember	12	cyw iâr	chicken	12	dŵad	to come	9
coginio	to cook	3	chwaer	sister	16	dweud	to say	Y
cogydd	cook	4	..., chwaith	..., either	26	dŵr	water	2
colli	to lose, to miss	8	chwarae	to play	3	dyma ti/chi	here you are	Y
côt	coat	17	chwaraeon	sports, games	6	dyma...	here is/are...	Y
cownter	counter	17	chwech	six	Y	dyn	man	11
creision	crisps	12	Chwefror	February	29	dyn eira	snowman	11
crempog	pancakes	19	da	good	Y	dynes ginio	dinner lady	4
crempogen	pancake	19	dannedd	teeth	27	dysgu	to learn, to teach	3
cryno-ddisg(iau)	CD(s)	18	darllen	to read	5	ddoe	yesterday	12
crys	shirt	24	dathlu	to celebrate	11	e-bost	e-mail	27
crys(au) T	t-shirt(s)	21	dau	two	Y	Ebrill	April	29
cwestiwn	question	10	dawnsio	to dance	3	edrych ar	to look at	3

Eitem	Saesneg	Uned	Eitem	Saesneg	Uned	Eitem	Saesneg	Uned
edrych ar ôl	to look after	30	ffrwyth(au)	fruit(s)	2	gwisg ysgol	school uniform	25
efallai, ella	maybe	15	ffwrdd â ni	off we go	30	gwisgo	to get dressed/ put on/wear	8
efo	with	5	Ga' i...?	May I (have) ...?	10			
eistedd	to sit (down)	9	gallu	can, to be able to	20	gwiwer	squirrel	26
eleni	this year	30	galw	to call	25	gwlad	country	22
eliffant	elephant	28	gardd	garden	18	gwlyb	wet	13
ennill	to win	8	garddio	gardening	5	gŵr	husband	16
enw(au)	name(s)	27	garej	garage	4	gwraig	wife	16
erbyn	by (time)	29	garlleg	garlic	26	gwrando ar	to listen to	5
ers	since, for	20	gartre	at home	14	gwreiddiol	original	22
esgid(iau)	shoe(s)	9	gêm	game	3	gwybod	to know	20
eto	again, yet	8	gemau bwrdd	board games	6	gwych	great	23
ewythr	uncle	16	gitâr	guitar	21	gwyliau	holidays	23
Faint o...?	How much/many?	19	glanhau	to clean (up)	7	gwylio	to watch	12
fel arfer	usually	30	glas	blue	17	gwyn	white	17
felly	so, therefore	18	gobeithio	to hope	20	gwyntog	windy	13
fory, yfory	tomorrow	3	gofyn	to ask	10	gwyrdd	green	17
ffair haf	summer fair	27	golchi	to wash	5	gynta(f)	first of all	9
ffeil(iau)	file(s)	27	gorffen	to finish	8	gyrru	to drive	7
ffeindio	to find	27	Gorffennaf	July	29	gyrrwr	driver	7
fferins	sweet(s)	10	gormod	too much	19	haearn smwddio	iron	28
fferm	farm	7	grawnffrwyth	grapefruit	26	hapus	happy	29
ffermwr	farmer	4	grawnwinen, grawnwin	grape(s)	10	heddiw	today	3
ffilm	film	12				hefyd	as well, too, also	11
fflat	a flat	30	gwaith	work	23	heini	fit	5
ffôn	telephone	3	gwaith cartre(f)	homework	8	helo	hello	1
ffôn symudol	mobile phone	18	gwallt	hair	25	hen	old	20
ffonau symudol	mobile phones	27	gweddol	so-so, fairly	1	heno	tonight	6
ffonio	to phone	8	gweithio	to work	3	het	hat	10
Ffrainc	France	22	gweld	to see	10	heulog	sunny	13
ffrâm ddringo	climbing frame	6	gwell	better	21	hirgrwn	oval	17
ffrind	friend	16	gwely	bed	15	hogan	girl, daughter	19
ffrindiau	friends	5	gwin	wine	12	hogyn	son, boy	19
ffrog	frock	24	gwisg ffansi	fancy dress	29	hufen iâ	ice cream	2

Eitem	Saesneg	Uned	Eitem	Saesneg	Uned	Eitem	Saesneg	Uned
Hydref	October	29	llysieuwr/	vegetarian	22	newydd	new	11
hyfryd	lovely	Y	llysieuwraig			nionod	onions	26
iach	healthy	12	llythyr	letter	14	niwlog	foggy	13
iard ysgol	school yard	6	'ma, yma	here	Y	nofio	to swim	5
Iesu Grist	Jesus Christ	11	mae'n ddrwg	I'm sorry	Y	noswaith	evening	1
ifanc	young	20	gen i			nyrs/nyrs	nurse	4
iogwrt	yoghurt	2	Mai	May	29	o dan	under	15
Ionawr	January	29	mam	mother	16	o flaen	in front of	15
isio	to want	Y	maneg, menig	glove, gloves	25	o gwmpas	around	6
Iwerddon	Ireland	22	mawr	large, big	20	o'r blaen	before, previously	20
jigso	jigsaw	14	Mawrth	March	29	o'r diwedd	at last	15
jyngl	jungle	16	mecanic	mechanic	4	oddi wrth	from (a person)	11
lein ddillad	clothes line	24	meddwl	to think	24	…oed	…years old	29
lolfa	living room	24	meddyg	doctor (medical)	4	oed	age	29
lwcus	lucky	18	Medi	September	29	oen	lamb	11
llaw, dwylo	hand, hands	25	mefus	strawberries	26	oer	cold	13
llawen	merry	11	Mehefin	June	29	oergell	refrigerator	21
llawer	a lot, many	19	melon	melon	26	ofnadwy	terrible	1
llawr	floor	24	melyn	yellow	17	omled	omelette	10
lle?	where?	Y	menyn	butter	7	ond	but	9
llefrith	milk	2	mis(oedd)	month(s)	29	os	if	20
llestri	dishes	5	modryb	aunt	16	os gweli di'n dda	please	Y
llew	lion	16	'molchi, ymolchi	to wash (oneself)	Y	os gwelwch	please	Y
llithren	slide	6	môr-ladron	pirates	29	chi'n dda		
lliw	colour	17	moronen, moron	carrot(s)	10	pacio	to pack	25
lliwio	to colour (in)	5	mwnci	monkey	16	paent	paint	10
Lloegr	England	22	mwynhau	to enjoy	23	paid	don't, stop it	Y
llong	ship	18	mynd	to go	3		(imperative)	
llun	picture, drawing	28	Nadolig	Christmas	11	pan	when (conjunction)	13
llyfr	book	10	naw	nine	Y	panad	cuppa	10
llyfrau	books	15	neidio	to jump	9	papur	paper	10
llyfrgell	library	23	neithiwr	last night	12	papur(au) newydd	newspaper(s)	21
llygoden	mouse	16	nesa(f)	next	28	parc	park	5
llysiau	vegetables	2	neuadd	hall	27	parod	ready	Y

Eitem	Saesneg	Uned
partner	partner	26
pawb	everybody	11
pedwar	four	Y
peidio	to not do	14
peidiwch	don't, stop it (imperative)	Y
pêl	ball	3
pêl-droed	football	3
pêl-fasged	basketball	3
pêl, peli	ball, balls	24
peli paent	paintball	29
pen-blwydd	birthday	29
pennaeth	boss, headteacher	26
pennau blwyddi	birthdays	29
pensil(iau)	pencil(s)	9
penwythnos	weekend	23
perffaith	perfect	21
perthnasau	relatives	19
perthynas	relative	19
petryal	rectangle	17
piano	piano	14
pigo	to pick, to sting	24
plant	children	4
plentyn	child	27
plîs	please	Y
plismon	policeman	4
plismones	policewoman	4
pobl	people	20
poced	pocket	21
poeth/twym	hot	13
popeth	everything	30
popeth yn iawn	everything's fine	25
porc	pork	12
postio	to post	14

Eitem	Saesneg	Uned
potel	bottle	16
pren	wood, wooden	9
pres	money	18
priod	married	30
problem(au)	problem(s)	25
prynhawn, p'nawn	afternoon	1
prynu	to buy	14
pump	five	Y
pwdin	pudding	6
pwll nofio	swimming pool	23
pwy?	who?	1
pyjamas	pyjamas	25
pys	peas	12
pysgod, pysgodyn	fish (plural, sing.)	6
pysgota	to fish	7
raced dennis	tennis racket	21
racedi tennis	tennis rackets	21
radio	radio	15
reit	right, fine	24
rŵan	now	16
Rhagfyr	December	29
rhaglen	programme	10
rhain, y rhain	these	20
rhedeg	to run	3
rhiant, rhieni	parent, parents	16
rhif	number	22
rhiwbob	rhubarb	10
rholiau bara	bread rolls	10
rhywbeth	something	20
saith	seven	Y
salad	salad	12
sanau	socks	15
sbectol haul	sunglasses	21
sboncen	squash (game)	14

Eitem	Saesneg	Uned
sbwriel	litter, rubbish	15
seren, sêr	star(s)	11
setlo lawr	to settle down	Y
sgarff(iau)	scarf, scarves	25
sgert	skirt	17
sgïo	to ski	6
sgipio	to skip	3
sglefrio	to skate	14
sglodion	chips	6
sgwâr	square	17
S'mae!	Hi!	1
siaced(i)	jacket(s)	27
siarad	to talk	3
sied	shed	21
siglen	swing	6
silff	shelf	15
sinema	cinema	23
sioe gerdd	a musical	23
Siôn Corn	Santa Claus	11
siop	shop	4
siopa	to shop	5
si-so	see-saw	6
siwmper	jumper	24
siŵr	sure	12
sled	sledge	14
sliperi	slippers	15
smwddio	to iron	5
sori	sorry	Y
sosej	sausage	10
stabl	stable	11
stamp(iau)	stamp(s)	14
stiwdio	studio	4
stôl	stool	15
stopio	to stop	9

Eitem	Saesneg	Uned	Eitem	Saesneg	Uned	Eitem	Saesneg	Uned
stori	*story*	6	un	*one*	Y	yn ymyl	*by (next to)*	15
stormus	*stormy*	13	uwd	*porridge*	12	...-yng-nghyfraith	*...-in-law*	28
sudd oren	*orange juice*	2	wedi blino	*tired*	1	yno ('na)	*there*	26
swper	*supper*	6	wedyn	*then, afterwards*	30	yr Alban	*Scotland*	22
sych	*dry*	13	weithiau	*sometimes*	30	yr Almaen	*Germany*	22
sychu	*to dry, to wipe*	25	whisgi	*whisky*	28	yr Eidal	*Italy*	22
syniad	*idea*	30	wncwl	*uncle (informal)*	16	ysbyty	*hospital*	4
tabled(i)	*tablet(s)*	27	ŵy	*egg*	2	ysgol	*school*	4
Tachwedd	*November*	29	ŵy wedi'i ffrïo	*fried egg*	26	ysgrifennu	*to write*	6
tacluso	*to tidy up*	6	ŵy/wyau Pasg	*Easter egg/eggs*	27	ysgrifenyddes	*secretary (female)*	30
tacsi	*taxi*	7	wyneb(au)	*face(s)*	25	ystafell haul	*conservatory*	24
tad	*father*	16	wyth	*eight*	Y	ystafell 'molchi	*bathroom*	24
talu	*to pay*	10	wythnos nesa(f)	*next week*	23	ystafell wely	*bedroom*	9
tan	*until*	30	y golch	*the washing*	30			
tatws	*potatoes*	2	y rhain	*these*	20			
te	*tea*	Y	y Swistir	*Switzerland*	22			
tegan(au)	*toy(s)*	9	y, yr	*the*	3			
teisen(nau)	*cake(s)*	17	y llynedd/llynedd	*last year*	30			
teledu	*television*	3	ychydig	*a little*	19			
teulu	*family*	18	yfed	*to drink*	3			
tocyn	*ticket, token*	11	yfory, fory	*tomorrow*	3			
tôst	*toast*	2	yli!	*hey!/look!*	Y			
treiffl	*trifle*	12	yma ('ma)	*here*	26			
trên	*train*	15	ymlacio	*to relax*	14			
tri	*three*	Y	ymlaen, 'mlaen	*forwards, on*	10			
triongl	*triangle*	17	ymolchi, 'molchi	*to wash oneself*	7			
tro	*a walk, a turn, a time*	3	yn	*in*	3			
trowsus	*trousers*	25	yn aml	*often*	22			
trwyn	*nose*	25	yn araf	*slowly*	9			
tŷ	*house*	3	yn barod	*already, ready*	8			
tŷ bach	*toilet*	8	yn gyflym	*quickly*	9			
tŷ bwyta	*restaurant*	4	yn ôl, 'nôl	*backwards, back, ago*	10			
tyfu	*to grow*	22						
tyrd	*come (imperative)*	Y	yn wreiddiol	*originally*	22			

Canllaw treiglo

Mutation guide

		Meddal *Soft*	Trwynol *Nasal*	Llaes *Aspirate*
p	→	b	mh	ph
t	→	d	nh	th
c	→	g	ngh	ch
b	→	f	m	–
d	→	dd	n	–
g	→	-	ng	–
ll	→	l	–	–
m	→	f	–	–
rh	→	r	–	–

Termau Gramadegol

Grammatical Terms

berf

A **verb** (*berf*) is an action, such as run, sit, eat – or a state of being, such as live, like, sleep, be.

enw

A **noun** (*enw*) is a thing, or a person, which can often be seen or touched – cat, table, house (some of them can't: birthday, happiness). Nouns can often be counted.

ansoddair

An **adjective** (*ansoddair*) describes a noun – hot, expensive, green.

arddodiad

A **preposition** (*arddodiad*) shows how things relate to each other in space, time, movement etc – in, on, under, after, through.

Rheol	Esiampl	Saesneg	Uned
Rule	*Example*	*English*	*Unit*

Treiglad Meddal *Soft Mutation*

> Here are the rules introduced in this coursebook. There will be more in the next level.

Mutate EVERYTHING after…

1. these prepositions:			
ar	ar **g**adair	*on a chair*	15
(o) dan	(o) dan **f**wrdd	*under a table*	15
o	o **D**refforest	*from Treforest*	22
i	i **R**uthun	*to Ruthin*	23
2. *dy* (your) and *ei* (his)	dy **f**rawd (di)	*your brother*	25
	ei **b**abell (o)	*his tent*	26
3. *neu* (or)	Coffi neu **d**e?	*Coffee or tea?*	22
	Mynd neu **dd**ŵad?	*Coming or going?*	
4. *dyma/dyna*	Dyma **l**ew	*Here's a lion*	3
	Dyna **dd**a!	*That's good!*	2
5. *dau/dwy*	Dau **g**i, dwy **g**ath	*Two dogs, two cats*	16

Mutate ANY NOUN…

6. after *yn* (unless it begins with *ll* or *rh*)	Dw i'n **f**am	*I'm a mother*	17
7. when it's the object of a short-form verb	Ga' i **f**anana?	*Can I have a banana?*	10

Mutate a FEMININE NOUN after…

8. *un*	un **b**ont	*one bridge*	16
9. *y, yr, 'r*	y **f**am	*the mother*	23

Mutate an ADJECTIVE after…

10. *yn*	Mae hi'n _wyntog	*It's windy*	13
11. a feminine noun	Desg **f**ach	*A small desk*	17

Treiglad Llaes *Aspirate Mutation*

1. Mutate after *ei* (her)	ei **ph**wrs (hi)	*her purse*	27

Ymadroddion defnyddiol

Useful phrases

Dim	0	(uned 1)
Un	1	
Dau	2	
Tri	3	
Pedwar	4	
Pump	5	
Chwech	6	
Saith	7	
Wyth	8	
Naw	9	
Deg	10	

Plîs	*Please*
Os gweli di'n dda*	*Please**
Os gwelwch chi'n dda*	*Please**
Diolch yn fawr	*Thank you very much*
Dyma ti/chi*	*Here you are**
Mae'n ddrwg gen i/Sori	*I'm sorry*

Amser codi!	*Time to get up!*
Amser 'molchi!	*Time to get washed!*
Amser gwisgo!	*Time to get dressed!*
Amser brecwast!	*Breakfast time!*
Amser cinio!	*Lunchtime!*
Amser te!	*Teatime!*
Amser swper!	*Suppertime!*
Amser tacluso!	*Time to tidy up!*
Amser gwely!	*Bedtime!*

Wyt ti isio **cwtsh**?*	*Do you want **a cuddle**?**	(uned 2)
Oes, plîs	*Yes, please*	
Dim diolch	*No, thanks*	

Be' wyt ti'n wneud rŵan?*	*What are you doing now?**	(uned 2)

Ga' i **fanana**?	*Can I have **a banana***	(uned 10)

Wyt ti wedi cael bath?*	*Have you had a bath?**	(uned 8)
Wyt ti wedi cael digon?*	*Have you had enough?**	
Wyt ti wedi gorffen?*	*Have you finished?**	
Ydw/Nac ydw	*Yes, I have/No, I haven't*	
Ydan/Nac ydan	*Yes, we have/No, we haven't*	

Lle mae dy **fag** di?	*Where's your **bag**?**
Lle mae'ch **menig** chi?	*Where are your **gloves**?**

Da iawn ti/chi*	*Well done**
Dyna hyfryd!	*That's lovely!*
Dyna wych!	*That's brilliant!*

Paid! Peidiwch!*	*Don't!**	(uned 14)
Tyrd yma, cariad*	*Come here, love**	(uned 9)
Dewch yma*	*Come here**	
Setla lawr, rŵan*	*Settle down, now**	
Setlwch lawr, rŵan*	*Settle down, now**	
Stopia! Stopiwch!*	*Stop!**	
Bihafia! Bihafiwch!*	*Behave!**	

Dim cwyno!	*No complaining!*
Dim ateb nôl!	*No answering back!*
Dyna ddigon, rŵan	*That's enough, now*
Dw i ddim yn dweud eto	*I'm not saying again*

Wyt ti'n barod?*	*Are you ready?**

Rwyt ti'n hogan dda*	*You're a good girl**
Rwyt ti'n hogyn da*	*You're a good boy**
Dach chi'n blant da*	*You're good children**
Dw i'n dy garu di*	*I love you**
Dw i'n eich caru chi*	*I love you**

Co! / Yli!	*Look!*

*Unit 1 explains the difference between *ti/di* and *chi*